ルポ 歌舞伎町

國友公司

彩図社

まえがき

「眠らない街」「東洋一の歓楽街」と呼ばれた歌舞伎町は、時代の波に呑まれ、何の変哲もないただの歓楽街へと成り下がったという——。

ネタを求めて歌舞伎町を飲み歩けば、「今の歌舞伎町はつまらない街になった」と古参の住人たちは私を落胆させた。

しかし、それは本当なのだろうか。

私がはじめて歌舞伎町を訪れたのは二〇一一年のことだった。歌舞伎町の魅力というものが、「危うさ、怪しさ」という言葉に集約されるのであれば、すでに毒が抜けきった時期である。ヤクザの集団が通りを闊歩することもなければ、売春の温床となっていた中国人クラブもない。集団密航による不法入国者が街にあふれることもない。

当然、治安の改善は賞賛されるべきことではあるが、昔の話を持ち出して〝いま〟をけなされることは、〝いま〟しか知らない私にとっては非常に癪《しゃく》であった。だったら自分で探し出すしかないというのが私の結論だ。

私は現代に残る歌舞伎町の魅力を探すため、根城を歌舞伎町に移し、二〇一九年からの約四年間、この街に入り浸った。

元怒羅権《ドラゴン》のウェイ、スカウトの正木、歌舞伎町の黒人イブラヒム、キャバ嬢兼風俗嬢のアユ、買春中毒のギャラクシー、ゲイのラブホテル清掃員のゴーグルマン氏、拉致監禁のプロ・チャーリー、歌舞伎町伝説のカメラマン篝一光《かがりいっこう》氏。

この街で知り合った得体の知れない、そして味わい深い人間たちとともに私は歌舞伎町で濃密な日々を過ごした。

ルポ　歌舞伎町　目次

二章　食物連鎖の頂点に立つホストたち

三章　東通りに立つ黒人の正体

四章　雑草のように生きる風俗嬢たち

五章　歌舞伎町「ストーカー」浄化作戦

六章　伝説のカメラマンが見続けた歌舞伎町

一章　歌舞伎町の暗部「思い出の抜け道」

ヤクザマンション

道端に放り出されたゴミ袋の中で残飯を漁るドブネズミがうごめいている。昨晩からゴミ袋の中にいるのか、じっと食休みをしているドブネズミもいる。

花道通りでそんな光景を眺めていると、歌舞伎町を回るゴミ収集車が目の前に停まった。颯爽と車を降りたドライバーが道端のゴミ袋を車体後部に投げ入れる。ドブネズミが入ったままのゴミ袋が、押込み板によって奥へと押し込まれていく。

早朝の歌舞伎町、なんとも不快な街である。

暮夜、ＪＲ新宿駅東口を出て「ＭＯＡ２番街」を通る。歌舞伎町を背にして立つスカウトマンたちが、駅から出てきた女性たちを引き留めて声をかけている。ターゲットは一人で歩いている水商売風の女性たちだ。グループに声をかけることはほとんどない。

水商売の雰囲気は体中から醸し出されている。歌舞伎町に住んでいれば、それは自然とわかるようになるものだ。キャバ嬢と風俗嬢の見分けも付くようになる。

靖国通りを挟んだ先のセントラルロードには、居酒屋のキャッチが立ち並んでいる。この時間、駅方面へと帰っていく集団は、大学生のグループか飲み帰りの一般人たちだ。彼らとすれ違いながらひとり歌舞伎町の中心へ向かうのは、この街で働く住人たちだ。両者の顔つきはまるで違う。同じ場所と時を共有していながら、これほどまでくっきりと差が出るものなのかと、いつも感じる。

突きあたりのゴジラヘッドを右に曲がると、「I LOVE 歌舞伎町」の電光掲示板を掲げるハヤシビルがある。東宝ビルに沿って伸びる生垣《いけがき》のへりでは、「トー横キッズ」と呼ばれる子どもたちが酒を飲みながら騒いでいる。ここにしばらく居座っていれば、殴り合いの喧嘩をひとつやふたつ見学できるだろう。

生垣に転がる酔っぱらった子どもたちを横目に奥に進むと、歌舞伎町一丁目と二丁目を南北に分ける「花道通り」に出る。南側の一丁目はチェーン店を中心とした飲食店が集まり、北側の二丁目にはホストクラブ、ラブホテル、アフター用のバーなどがひしめき合っている。

花道通りで男に声をかけているキャッチは、キャバクラ、おっパブなどの風俗店、ガールズバー、違法カジノ店などに客を斡旋する。女性に声をかけているのは、ホストクラブの案内所だ。二丁目エリアで声をかけているのは風俗スカウトだ。

花道通りを東に進んで行くと、左手にホストクラブの広告群、右手には黒人のキャッチがたむろする「東通り」、一九九四年に「青龍刀事件」が起きた「思い出の抜け道」を通り過ぎ、二〇〇二年に起きた「パリジェンヌ銃撃事件」の現場となった「風林会館」にたどり着く。この交差点は「歌舞伎町のへそ」と呼ばれ、一般人が新宿での待ち合わせ場所にアルタ前を使うのに対し、歌舞伎町の住人たちはこちらをよく用いる。

区役所通りを渡り、ラブホテルをいくつかすり抜けた先にある煉瓦色の建物が、通称「ヤクザマンション」だ。

竣工は一九八〇年代初頭。分譲オーナーの多くが投資目的で購入した中国人であるため審査が緩かったこと、そして立地も相まって暴力団の事務所が次々と入居するようになり、ヤクザマンションと呼ばれるようになった。

しかし、一九九二年に施行された暴対法の度重なる改正、そして二〇〇四年に石原慎太郎東京都知事（当時）が取り組んだ「歌舞伎町浄化作戦」によって歌舞伎町のヤクザは衰退し、ヤクザマンションに事務所を構える組も減少したという。

大通りに面したエントランスにはライオンの像が鎮座している。ステップを上がったロビーの左手に管理人室、正面にはマンションの断面図が載ったボードがあり、部屋ごとに所有者が記載されている。いくつかの所有者の名前をネットで検索してみると、ヤクザの親分がヒットする。

風林会館。周辺にはぼったくりバー、闇スロ店、違法カジノ店などが集まり客引きもたむろしている

該当の部屋の前まで行ってみると、ドアの上に取り付けられた監視カメラが、「ジー……」と見張っている。たとえ鼻を垂らした小学生がこのマンションに住んでいたとしても、ピンポンダッシュなど間違ってもしない独特の緊張感が漂っているのである。

二〇一九年四月、私は新宿駅東南口にある雑居ビルで、賃貸契約の手続きをしていた。前著、『ルポ西成　─七十八日間ドヤ街生活─』（彩図社）の取材を終え関東へと戻った私は、都内に新居を探していたのである。

オートロックの小綺麗な1LDKで気楽な独身生活でも送ろうと思っていたのだが、「歌舞伎町のヤクザマンションなんていうのも、住んだら面白いかもしれない」と冗談半分で周りに言いふらしたのが運のツキだった。それを聞きつけた彩図社の編集長からかかってきた、「そこに住んで歌舞伎町の本を書いてみて。タイトルはルポ歌舞伎町で」というたった十五秒間の電話でこの取材はスタートした。

引っ越し先はもちろん、ヤクザマンションである。

「このマンションは近隣の相場に比べて家賃が低く、アクセスもいいのでとても人気なんですよ。この部屋も問い合わせが数件来ていましたし、お客さんラッキーですよ」

不動産会社の社員が笑顔で手続きを進めている。内見をふくめ顔を合わせるのは三回目だが、ここまでヤクザの「ヤ」の字も聞いていない。

となりでＭＣＭのリュックを漁りながら契約の手続きをしているのは、おそらく風俗嬢だろうか。書類の提出日だというのにほぼ手ぶらでやってきたらしく、「こんなこともできないんじゃこの先何もできねえぞ。大家とも話がついてるし、もう引っ越すしかないんだから。俺が全部手取り足取りやってあげなきゃ、君はなにもできないんだろう」と元ラグビー部かなにかの店長らしき大柄な男性に叱られている。

私の部屋は五階の一室。オーナーは上海に住む中国人の女性で、管理は管理会社に丸投げしている。十七平米のワンルームで家賃は管理費込みで月八万円。同じ広さで六万円代の部屋もあるが、そういった場合オーナーの管理がずさんで壁紙がはがれている、黄ばんでいる、床がめくれているなど状態はかなり悪いそうだ。

部屋の鍵を受け取り、翌日家財道具を運び込んだ。地下にある駐車場に車を停めようとすると、黒のアルファードが数台並んでいるのが目に入った。

間違ってこすったりでもしたら一体どうなるのだろうか。漫画に出てくるようなゾロ目ナンバーまであり、古風な雰囲気すら漂う。今どき、これ見よがしにそんなナンバーをつけるヤクザがいることに驚きである。

一階と五階をエレベーターで何度も行き来していると、ホストと風俗嬢がひっきりなしにマンションの中から出てくる。このマンションに住むホストたちが夕方店へと出勤し、風俗嬢は待機所になっている部屋からホテルへと向かうのだ。

歌舞伎町のヤクザマンションといえば、漫画家の山本英夫氏が『殺し屋1』（小学館）の舞台として描いたことでも有名である。作中には、マンションがヤクザ同士の抗争の現場となり、組が所有するSMクラブのプレイルームで、組員が皮膚に針を刺して天井から吊られ、拷問を受けているシーンがある。

漫画の中の話であるとはいえ、これから同じマンションに住むと思うと鬱々とした気分になってくる。不用意に街のことを探りすぎ、いつか自分も同じような目に遭ってしまうのではないのだろうか。私は針が大の苦手で注射のときはいつも診察室のベッドに横になり、看護師さんによしよしされながらやっとの思いで血を抜かれている。皮膚に針を刺された状態で天井から吊られるなんて、絶対に無理である。

近くにある「九ラー」（九州ラーメン博多っ子）で晩飯を食べマンションに戻ると、一階の吹き抜けに手向けられた花に、三人組のホストが缶コーヒーをお供えしていた。同僚のホ

ヤクザマンションに構えた私の根城。建物の中を歩くのは、ヤクザ、半グレ、ホスト、風俗嬢、スカウトマンなど裏の人間ばかりだ

ストが飛び降りたのだろうか。

夜になると街中でサイレンの音が鳴りだした。すぐ近くに救急車が停まり、拡声器から救急隊の声が聞こえる。

サイレンの音が聞こえるたびに現場に飛んでいけば、そのうち何か事件のネタが掴めるんじゃないか。そんなことを考えていたものの、三十分に一回は鳴るサイレンをまえに、その計画はすぐに中止となった。

ベランダに出ると、目のまえの駐車場で大学生らしき女がものすごい勢いで嘔吐している。向かいのホテルバリアンの窓には裸の女性がぼんやりと透けて見える。

服を脱いでいる最中なのか、シャワーを浴びているのか、騎乗位で跳ねている最中なのか見分けはつかなかったが、そのシルエットに私はしばらく見とれてしまった。

歌舞伎町の事故物件

歌舞伎町の近辺（東新宿エリア）に住む風俗嬢たちの悲願、それは新宿六丁目にそびえ立つ地上三十二階建ての「コンフォリア新宿イーストサイドタワー」に、担当ホストと同棲することである。

歌舞伎町は風俗の街と言ってもいいが、なにも風俗の街は歌舞伎町だけではない。風俗は日本各地に散らばっており、ソープランドだけで考えればやはりメッカは台東区の吉原であり、川崎の堀之内だ。つまり、歌舞伎町近辺に住んでいるのはホストクラブに通い詰める一部の風俗嬢ということになる。

深夜になると東新宿エリアでは、ホストと風俗嬢の同棲カップルがペットのチワワをガードレールに括りつけ、スーパーマーケットのマルエツで買い物をする姿をよく目にする。

しかし、担当ホストとの同棲という夢を叶えた彼女たちには、一生解決することのない悩みがある。歌舞伎町にある水商売専門の不動産会社で働く社員は、いつも彼女たちの不毛な相談に明け暮れるという。

「コンフォリア以外にもホストや風俗の子に人気のマンションはいくつかあります。彼女たちはいつも、〝同業者が住んでいないマンションに住みたい〟と言うんです」

風俗嬢が担当ホストとの同棲を実現する第一段階として、まずは東新宿エリアにマンションを借りること。そして、店に通いつめ担当ホストと身体の関係を持ち、その回数が増えていき、「もううちに住んじゃいなよ」と自宅にホストを転がり込ませる。典型的な成功パターンである。

自分だけを一途に愛してくれている担当ホストとの幸せをその他大勢の風俗嬢たちに知ってほしい。Twitterでアピールしたい――。しかし、その感情とは裏腹に「ホス狂いと思われるんじゃないか」という不安もつきまとう。

なぜなら、ホストを自宅に住まわせている自分以外の風俗嬢たちを、「ただのホス狂いが……」と普段から自分も軽蔑しているからである。でも自分だけはどこにでもいるようなホス狂いではない。本当の愛を手に入れた幸せな女であると思いたい。でも、一緒に歩いているところをほかの風俗嬢に見られてしまったら。

「とはいっても、風俗の子が簡単に入れる物件ってやっぱり限られるじゃないですか。だから必然的に同業者が集まるマンションになってしまうので、悩んでも意味ないんですよ」（前出の社員）

東新宿駅から徒歩五分。抜弁天《ぬけべんてん》交差点にあるマンションは、とある事件で世間に強烈な印象を残した。二〇一九年五月に元ガールズバー店長・高岡由佳容疑者（当時二十一歳）が、「好きで好きでしょうがないから刺した」と、ホストの男性を包丁でメッタ刺しにしたのである。エントランスで、血だらけになった高岡容疑者がタバコを吸いながら電話をしている画像がTwitter上に出回ったが、いまだに記憶に残っている人も多いだろう。

前出の社員によれば、このマンションは界隈の不動産業界では不吉な物件として知られているという。

「あの事件のほかにも殺人、自殺が原因で数部屋が事故物件になっています。すぐ隣のマンションでも自殺が多発していて、両方のマンションを合わせて私が知っているだけでも十件近い事件・事故が起きています。真裏に墓地があるんですよ。あまりにも人が死ぬので呪われた二軒と私たちは認識していますね」

　また、歌舞伎町二丁目の区役所通り沿いにあるタワーマンションは審査がゆるゆるで、キワモノ住人が多く集まる。歌舞伎町の本カジ（バカラ台が室内にあり、生身のディーラーがその場にいるカジノ）の元ディーラーの女性に聞いた話だ。

「インカジ（インターネットカジノ）は風林会館周辺のビルに点在していますが、本カジはこのタワマンに多いですよね。本カジが入っていたり、その向かいに半グレが住んでいたり、いろいろあるマンションですから、住人同士のトラブルもかなり多いですよ。ヤク中も多いし、よく住人が飛び降りています」

　ヤクザの事務所が多数あることで、ある意味平穏が保たれているヤクザマンションよりも、こちらのマンションのほうが刺激的な日々を送ることができるかもしれない。築年数も浅いタワーマンションでありながら、二十七平米の部屋で十一万ちょっとである。

不法占拠する者たち

靖国通りから東通りに入り、真っ直ぐ進むと花道通りに突き当たる。東通りの右手には「思い出の抜け道」と書かれた通りがある。この抜け道を通り抜けると、こちらも花道通りに出る。九四年八月、この思い出の抜け道にある北京料理店「快活林」が、五名の上海マフィアに襲撃され、刺された三名のうち店長を除く二名が死亡した。「青龍刀事件」である。

当時、歌舞伎町の裏社会では中国人マフィアが幅を利かせていたが、上海、北京、福建など出身地ごとに組織化し、以降組織同士の対立が生まれるようになった。青龍刀事件はその末に起きた抗争である。現在、歌舞伎町に中国人マフィアたちの姿はほぼないとはいえ、あれから二十五年以上経った今でも、思い出の抜け道は日々変化する歌舞伎町の中で取り残されたように存在し続けている。

原付バイク一台がやっと通れるほどの細さで、ビルの壁や上空には配線が絡まり合っている。歌舞伎町のほかの通りが人の通る道だとすれば、ここはネズミの通り道だろうか。抜け道には同じ高さのバラックのようなビルが集まっており、その中に中華料理店や、引退後の力士でもまず入れない極狭のバーが詰め込まれている。

ビルの側面にペタリと沿うように、落書きだらけの小屋が数軒並んでいる。明かりの点いている小屋を覗くと中に人がいる。浮浪者だろうか。

これでもどうやら居酒屋らしい。まことにもって怪しげな店だ。「一見お断り」と書かれている店もあるが、一見の人間がフラっと入る気などまず起きないだろう。通りに足を踏み入れることさえ憚《はばか》られるはずだ。

「一杯どう?」

二〇一九年の夏、歌舞伎町二丁目の地下にある店で、最近まで思い出の抜け道にあるバーで働いていたという男に出会った。やはり飛び込みの客など来るわけもなく、暇な時間を夜明けまで過ごしていたというが、男にはひとつ忘れられない出来事があるという。

「フラフラに酔っ払ったじいさんが、店にひとりで入って来たんです。でも、目を見てすぐに覚醒剤をやっていると分かった。どう見ても酒じゃない。そのまま入り浸られるのも面倒なのでこっそり警察に電話したのですが、駆けつけた二人の警官はじいさんに指一本触れようとしなかったんです」

〝とりあえずこの敷地からは出てもらわないといけないから〟と二人の警官はじいさんを花道通りまで誘導し、そこで職務質問を始めたというのだ。

「僕がその場にいるということで店の外に出るのはわかりますが、わざわざ花道通りまで連れて行く意味がわからなかったんです。聞いても警官は何も教えてくれないですし……」

バーテンの男は腑に落ちない様子だ。「僕もあの通りのことは色々気になりますので、よければ当時店の経営をしていた人間を紹介しますよ」と、裁判傍聴をライフワークにしているという元経営者・隅田の連絡先を教えてくれた。

隅田を東新宿駅前のロイヤルホストに招くと、彼はリブロースステーキを頬張りながら思い出の抜け道について話し出した。

「あの抜け道は私道なのよ。あそこで仮に現行犯逮捕したとして、後々何かあったら警官の不法侵入ってことになっちゃうし、逮捕状があるわけじゃないんだから私道で現行犯逮捕できないわけよ。だから公道までじいさんを誘導したんだろ」

「私道？　誰の所有なんですか？」

「それが、本当の所有者が誰なのかオレも分からない。ただ、〝俺が所有者だ〟と言い張って、勝手に仕切ろうとしている奴がいるみたいなんだよな」

　土地の所有者であると偽って場所代を要求する。要は地面師である。積水ハウスから六十三億円を騙し取ったカミンスカス一味のように高度ななりすましを行っているわけではなく、ほぼ恐喝ではあるようだが……。

「雑居ビルにペッタリくっついている小屋みたいな店あるだろ。あれ、ただの掘っ立て小屋だからな。車輪も付いていないから屋台とも違う。私道を不法占拠してるんだよ」

「じゃあ、地面師が場所代を要求しているのは、掘っ立て小屋に対してだけということですか？」

「そういうこと。オレがやっていた店は雑居ビルの中にある。ビルのオーナーもちゃんといて、毎月家賃を払ってたよ。掘っ立て小屋の家賃とか場所代がどうなっているのかはわからない。地面師みたいな奴に真面目に金払っているとも思えないけどな」

　小屋の店主に、「不法占拠してるみたいですけど、家賃とか場所代とかどうなってるんですか？」と直接聞きに行こうとも思ったが、喧嘩して出入り禁止になるのも困るので、「小屋たち」に通いつつ様子をうかがうことにした。

思い出の抜け道にいくつか建っている不法占拠の小屋

そして歌舞伎町がコロナ一色となってから一年近くが経過した二〇二〇年の年末、あるひとつの小屋の店主の男が家賃を滞納し続けた末に、思い出の抜け道を追い出され、歌舞伎町二丁目のバーでアルバイトをしているという情報を耳にした。あの不法占拠の掘っ立て小屋にも家賃の概念があったのだ。

区役所通り沿いにある大型ビルの一角にあるバー「L」。コロナ対策でドアが開けっぱなしになっていたので、無言で店内に入ると、カウンターに座りながら客と飲んでいた女性店主がギョッとした顔で「誰よ？」と聞いてきた。

「L」は某組織のヤクザたちの溜まり場となっているらしく、一見の客が来ることはまずないそうで、カチコミかなにかと思われたようだ。カウンターに立ち、ホットプレートで焼きそばを炒めている背の小さな男が元小屋の店主だ。

「〝自称〟私道の所有者は三人いるんだ。ひとりは抜け道のビルで居酒屋をやっている店主、もうひとりは周辺に事務所を構えている古いヤクザ、残りのひとりは表に出てきてないから誰だかわからない。そのヤクザが〝登記簿を調べたらこの私道は正式に組のものだとわかった〟と言いがかりをつけてきたけど、俺はヤクザに場所代なんて一回も払わなかった」

掘っ立て小屋の家賃に関しても、「あんな小屋に家賃なんかあるわけねえだろ」と元小屋の店主は話したが、滞納して追い出された手前、バツが悪かったのだろう。現在もその小屋で週に一度バーテンをしている女性・フミに聞くと、やはり元小屋の店主は家賃等の滞納で追い出されたという。

「小屋の持ち主は店主とは別にいて、家賃も発生しています。それと、抜け道の組合のようなものがあって、共益費も払うことになっています。元店主はその二つを頑なに払おうとせずに追い出されました」（フミ）

ヤクザから要求されている私道の使用料は、組合全体で払ってはいけないとの取り決めがある。誰かひとりが成り行きで払ってしまうと、ほかに飛び火するからだ。ヤクザもヤクザで強気には出られない。いまの時代、そんなことをしたらすぐにでも恐喝で捕まってしまうからだ。

だが、抜け道の人々にとっての脅威は別にある。隅田がバーの契約更新で訪れた際、あまりの仰々しさに目を丸くした歌舞伎町に本社を置く不動産会社「S」である。「S」は在日韓国人の実業家が設立した「歌舞伎町のドン」と呼ばれるグループだ。

「応接室に通されると壁にズラッと支店長たちの顔写真が飾られてるんだけどよ、笑っちゃうくらいにみんな悪人顔なんだよ。歌舞伎町のアウトレイジでも自負してるんじゃねえの。おいおい、ヤバいところに来ちまったぜ……って感じだよ」

隅田がバーをオープンしたとき、ビルの所有者は地元の老婆であった。後から分かることだが、おそらく台湾華僑である。その老婆が亡くなり、ある不動産会社にビルを売却。その後、「S」がビルを買い取った。抜け道にあるほかのビルもすでに「S」が買収しており、買い占めを行っている真っ最中であるという。

この抜け道は常に再開発の対象として検討されており、「S」はそれまでに物件と土地をすべて買い占め、まとめて売り飛ばす算段だというのが隅田の推測である。令和の歌舞伎町においてこんな「ネズミ道」みたいな場所がいまだに残っていることのほうが不思議でならないが、それゆえに「思い出の抜け道」は歌舞伎町の遺産でもある。

「思い出の抜け道」がいつか本当の「思い出」とならないよう願うしかない。

抜け道で見つけたタブー

リブロースステーキとライス大盛を平らげ、追加で注文したパフェをつつきながら隅田は言うか言うまいか、躊躇した後でつぶやいた。

「不法占拠やらヤクザやらゴチャゴチャしている場所だけどよ、もっと面白いことがあるんだぜ。思い出の抜け道の〝ある場所〟に、謎の中国人が棲みついているんだ」

隅田が教えてくれた〝ある場所〟は、本来、人が住むような場所ではない。「少なくとも二〇一六年まではそこに中国人が住んでいたことをオレは知っている」と隅田は言う。

ここで「ある場所」を明記することはできないが、抜け道の背景や歴史、そして〝ある場所〟

のロケーションからするに、まるで映画みたいな話である。こんな話を聞いてしまったからには、〝ある場所〟に突撃していまでも謎の中国人が棲みついているのか確かめるしかない。

隅田と別れた私はすぐに思い出の抜け道に向かい、〝ある場所〟へと繋がる道を探したのだが、おいそれと気軽に行けるような構造ではないことに気がついた。

隅田を紹介してくれたバーテンの男に聞いてみると、「僕の店が入っているビルの四階は倉庫みたいになっていて、そこにはいろんな人が代わる代わる住んでいます。どこかの社長の愛人が住んでいたこともあるみたいですが……」

これはこれでサスペンスみたいな話ではあるが、謎の中国人については知らないという。

フミにお願いして抜け道にある別のバーの店主のところへ向かった。

廃墟の裏口のような黒い扉を開け、人ひとりがやっと通れる幅の階段を上がる。極小のスペースに無理矢理階段を詰め込んだのであろう。びっくりするくらいの急勾配である。

カウンターのみの店内に男女がすし詰めになり、空のストロング缶や缶ビールが散乱している。店主らしき男に「何か飲むか?」と聞かれたので、「レモンサワー」と伝えると、氷結を手渡された。メニューというメニューはなく、料金体系もとくに決まっていないようだ。

フミも店主とは久しぶりに会った様子なのでしばらく楽しく酒を飲み、深夜三時をすぎた頃、〝ある場所〟のことを聞いてみた。

「そういえば、〝あの場所〟ってまだ中国人は住んでいるんですか？」

「なんだよ、その聞き方は？」

思い出の抜け道。令和の時代となったいまでも歌舞伎町の中心にこんな場所が残っていることが不思議だ

「いや、まだいるのかなと思いまして」

「お前、知り合いなのかよ？」

「会ったことはないですよ」

「それ聞いてどうしたい？」

「可能ならそこに行ってみたいんです」

「面倒くさいからよ、〝あの場所〟には行かないことにしてるんだよ。おまえが行きたいって

言ってもよ、それをして俺になんのメリットがある？　仮に行ったとしても内側から閉じ込めるぞ」

「〝あの場所〟に行くと何か面倒なことでもあるんですか？」

「それをお前に話して、俺に何かいいことでもあるのかよ？」

さっきまでゲラゲラと笑いながら飲んでいたのが嘘のようである。店主も私もずいぶん酔っていたはずだが、二人とも一気に酔いが醒めた。「おー、アイツまだいるけど会ってみるか？」くらいの話だと思っていたが、かなり温度を間違えてしまったようである。

後日、思い出の抜け道にある中華料理店に入り、同じ質問をしてみると似たような対応であった。

「それ、誰に聞いた？　びっくりしたよ。なぜあなたが知っているの？　あなたの名前は？」

何の事情があって私の名前まで聞いてくるのだろうか。

店主は私が予約する際に電話をかけていたことを思い出し、履歴を見返して電話番号を探している。「この予約の名前は本名か？」とも聞いてきた。すでに顔も覚えられてしまっているので、もうこの店に来ることもないだろう。

「無理だとは思いますが、〝あの場所〟に連れて行ってもらえませんか？　どうしても今も人が住んでいるかが知りたいのです」

「なんで私がその橋渡しをしなきゃいけない？　仮にあなたが殺されたりでもしたら、笑い話では済まないでしょ？」

ネットやSNSをくまなく調べてみても、そんな話はまったく出てこない。今の時代、そんなことがあるのだろうか。

しかし、それから数日後再びフミに会うと、彼女は困惑していた。

「私も気になっていつも仲良くしている抜け道の店主に聞いてみたんです。〝おばあちゃん、この抜け道のある場所には中国人が住んでいるの？〟って」

すると、いつもは温厚な店主に「住んでいるわけないだろ！　誰に聞いたんだ！」と、かなりの剣幕で詰め寄られたという。

しかし、店主のとなりにいた常連客の老婆が、「歴史はちゃんと教えてあげないと」となだめ始めた。すると、店主は「そんな歴史はない！」と激高したという。店主は執拗に「誰に聞いたんだ？」とフミに迫った。初めて見た店主の表情に恐怖を感じるとともに、フミも、

〝ある場所〟には謎の中国人が住んでいるという確信を持った。

怒羅権がタブーに触れた

九〇年代前半、密入国を斡旋するネットワーク「蛇頭《じゃとう》」によって中国から大量の密入国者が日本に送り込まれ、その一部は歌舞伎町にたどりついていた。中国残留孤児二世たちによって結成された怒羅権《ドラゴン》のメンバーである汪楠《ワンナン》氏によれば、「怒羅権と蛇頭は完全に別の存在ですが、怒羅権がマフィア化し始めた九〇年代、両者は協力関係にありました。具体的には、蛇頭が日本に密入国させた中国人たちの一部を、私たちが一時的に管理していた」（『怒羅権と私』彩図社より）という。

とすれば、当時の怒羅権のメンバーにあたれば、〝ある場所〟のことがなにかわかるのではないか。私は東京・葛西に暮らす当時のメンバーであったウェイ（仮名）のもとへ行った。ビールが注がれたジョッキで乾杯をすると、ウェイは開口一番、〝ある場所〟に住む中国人の存在を認めた。

──思い出の抜け道の〝ある場所〟に、中国人が住んでいるというのは事実？

ウェイ　いつから住み始めたのかは正確にはわからないけど、青龍刀事件のとき（九四年）には、もう中国人は住んでいたね。だけど、そんなに大した数じゃない。

──それは、ひとりではないということですか。

ウェイ　そう。だけど人数は多くないよ。

──抜け道にあるバーの店主に、〝ある場所〟で酔っ払いが放置されて死んだというのは聞きました。

ウェイ　あの場所の利用法というのは二つしかないね。ひとつは酔っ払いを捨てるため。もうひとつは、誰かをかくまうため。歌舞伎町は九二年あたりまで台湾マフィア（竹聯幇《ちくれんほう》、四海幇《しかいほう》、天道盟《てんどうめい》など）が牛耳っていたけど、警察の取り締まりで衰退して中国人マフィアの時代に変わっていったんだ。その頃から思い出の抜け道は中国人マフィアたちにとっては〝聖

福建省の福州市は蛇頭のメッカだ。街中には海外で違法に荒稼ぎした密航者や蛇頭の豪邸が数多く建っている（© イロマチディープ・チャイナ）

域〟のような場所になった。いろいろな種類の犯罪組織の拠点になっていたんだ。

例えばその当時、思い出の抜け道にある店はスーツケースで盗品を売り捌く中国人犯罪グループの拠点となっていた。主に扱っていた商品はブランド物の時計や洋服で、店舗の商品を丸ごとトラックで盗むなどしていたため仕入れ値はゼロ。元値の二割引きほどの価格で売り捌き、バックを抜け道の店舗に支払っていた。

また、「華僑飯店」（現在は閉店）の奥にあった個室では、夜な夜な中国人マフィアたちによる盗品市場が開かれていた。盗品というだけでブランド品もあくまで本物なので、歌舞伎町の住人たちには人気だったという。歌舞伎町にはそんな市場がいくつもあった。しかし、盗品グループは警察の摘発により壊滅的なダメージを受け、彼らは大久保エリアの一軒家に拠点を移した。グループは上海人を中心に構成されていたため、「上海デパート」などと呼ばれていたという。

この盗品グループは警察の摘発に遭ってしまったが、中国人マフィアたちが抜け道を〝聖域〟と崇め、拠点としていた理由がある。抜け道で商売を営んでいたとある中国人経営者が、警察の有力な情報提供者であり、この一帯は警察からお目こぼしを受けていたというのだ。中国人たちの身の回りの手配（結婚など）を請け負う行政書士や司法書士も出入りしており、中国人マフィアたちの「駆け込み寺」のような場所になっていった。

そう考えると、「かくまう」という〝ある場所〟の利用方法にも合点がいく。

――〝ある場所〟は、蛇頭に何か関係があるんですか。

ウェイ　〝ある場所〟に住んでいたのは蛇頭のネットワークを使って日本に密入国をした中国人たちだ。彼らが就ける仕事なんて所詮は皿洗いか解体現場だから、アパートに払う家賃が惜しい。歌舞伎町の土地は台湾人の所有であることが多い。日本では地主の顔をしているけど、蒋介石《シヨウカイセキ》の政策によって台湾にいられなくなったマフィアたちが日本に逃げ、ありる金で土地を買い占めた結果だよ。土地を持っているそいつらが密航者たちに〝ある場所〟をベニヤ板で細かく区切り、一人あたり月一万五千円ほどで貸していたんだ。

密入国の費用は三百万円が相場であった。当時の大都市における中国人の年収が五万～七万円程度であることを考えれば、とてつもない額である。密航者の多くは福建省などの農村地帯に住む人間だ。そんな大金を持ち合わせているわけもなく、親族が多額の借金をする形で日本へやってきた。

しかし、皿洗いや解体現場といった仕事では借金の返済だけでも何年かかるかわからない。くわえて密航者という立場上、そのうち逮捕されて強制送還されてしまうかもしれない。そんな不安を抱えた密航者たちは、怒羅権といった「先輩」中国人マフィアたちや日本のヤクザに勧誘される形で、次々にマフィア化していった。

彼らは使い勝手がよかった。状況的に追い詰められているので、金のためならなんでもしたし、日本における犯罪の相場がまったくわかっていないので安上がりだったのだ。

そんな理由から、たった二十万〜三十万の報酬で人を殺す中国人密航者が、当時の歌舞伎町にはいた。

思い出の抜け道の〝ある場所〟にも、そんな殺し屋が住んでいたのだろう。〝ある場所〟が殺し屋をかくまう機能を果たし、彼らを恨み、探している人がいたとすれば、三十年近くが経った今でもタブー視されるのは不思議ではない。

二〇二二年暮れ、私が叱責された〝ある場所〟のバーが潰れ、別のバーがオープンしていた。そのバーの人間によると、前のオーナーは従業員に対しても「〝ある場所〟への扉だけは絶対に開けるな」とかなり厳しく指導していたそうだ。バーの人間が話す。

「いまでも不法残留の中国人たちが〝ある場所〟に住みついていますよ。一度、扉を開けて〝ある場所〟に行ってみたことがありますが、やはり住んでいました。その後、バーのオーナーにはこっぴどく怒られましたが」

思い出の抜け道にはいくつものビルがある。〝ある場所〟はどのビルからもアクセスしようと思えばできるのだが、どのビルにおいても中国人とのトラブルを回避する目的から、前出のバーと同じように〝ある場所〟への扉は閉ざされている。

蛇頭による密入国が今でも行われているとは考えにくい。当時の密航者だけではなく、合法的な在留資格を失い不法化した「不法残留者」も住んでいるかもしれない。


私が初めて「思い出の抜け道」を訪れたのはまだ大学生の頃、六年ほど前のことだ。「歌舞伎町の路地裏に怪しい店がある」と、当時好きだった女の子を連れて行った。

歌舞伎町のことを何も知らなかった私は、抜け道の独特な雰囲気に怖気づきながらも、そんな気持ちを女の子に悟られまいと颯爽と歩いた。その店こそ、中国人マフィアたちが盗品市場を開いていた場所であり、彼らの拠点となった場所でもあった。

そして、その店だけが唯一、〝ある場所〟への扉を開いており、不法残留の中国人たちは今も昔もそのルートを使って外界への出入りを行っているという。

歌舞伎町に住んで四年が経ち、街の解像度が上がるにつれて私は、中国人マフィアたちがいたこの時代に対する憧れが強まっていった。その面影はもはや抜け道にしか残っていない。その残り香を嗅ぐことができただけでも、私は歌舞伎町に引っ越してよかったと思っている。

二章　食物連鎖の頂点に立つホストたち

七万円の酒は、百万円で売る

歌舞伎町ほど金の動きがまざまざとわかる街はない。下半身がパッツンパッツンに張り詰めた男たちは風俗店に金を落とし、風俗嬢たちは毎晩のようにホストクラブに万札を垂れ流す。そして彼女たちに寄生するようにスカウトたちはこぼれ汁をすする。

歌舞伎町における金の流れは、よく「食物連鎖」と揶揄される。

冬のボーナスを手に入れたサラリーマンは、妻に内緒で歌舞伎町のソープランドを訪れた。ソープ嬢の若い身体を貪り、何事もなかったかのように家に帰った。射精したサラリーマンはそのソープ嬢の背後に広がる世界など考えもしないだろうが、そこは実にいびつな関係で埋め尽くされている。

歌舞伎町の雀荘「L」では、連日のように裏稼業の人間たち――ホスト、スカウト、特殊詐欺グループのメンバー、闇金業者などが賭け麻雀に興じている。

私の麻雀の腕はというと、役は「タンヤオ」しか知らないし、「ポン」と「チー」の違いもわからない。そんな状態で裏稼業の人間たちと麻雀を打つなど、ニッカポッカ姿でウォール街に乗り込むようなものなので、することといえばもっぱら店主やその友人とのおしゃべりである。空いている麻雀卓を勝手に使ってしまっているが、店主はソファで寝ているので問題ないだろう。

歌舞伎町でホストクラブを経営する田口もまた、Lに入り浸る男のひとりだ。

まず大前提として、ホストクラブに通う女の子たちの九割以上が風俗嬢であり、彼女たちはホストクラブに通うために風俗で働いている。風俗で働き、大金を稼いだ結果としてホストクラブに通っているわけではなく、あくまでホストクラブありきである。つまり、ホストクラブがなくなれば、彼女たちは店へ出勤しない。それは、田口の店も例外ではない。

「僕の店も少なくとも九割、十割に近いほど客は風俗嬢です。その九割の客にキャバ嬢は入らないんですよ。僕は、キャバ嬢はホストの商売相手にはならないと思っています。風俗嬢とキャバ嬢はメンタルが違うんですよ」

風俗嬢という仕事は身体を売る前提で成り立っているが、キャバ嬢は枕営業があるとはいえ身体を売る前提ではない。基本的に風俗嬢よりもキャバ嬢のほうが自己肯定感は高く保たれ、ホストに貢ぐことによって承認欲求を満たすというような発想にはならないのだ。

ホストクラブは一流店になればなるほど、昼間の世界で成功した女性が訪れるようになると田口は話すが、それもごく一部だ。「風俗嬢ではない」客が来た時点で、嘘をついているか、親が金持ちまたは政治家ではないかとホストは思う。

自称社長の女性は疑ってかかる。ホストクラブで豪遊できるほどの金がある企業を経営しているのなら、そもそもホストクラブで暇を潰している余裕などない。横領でもしているんじゃないかと警戒するし、仮に横領しているとすればいつか「飛ぶ日」が来るため、風俗嬢でもない客が大金を使うことはホストにとっては恐怖なのだ。

「なので残りの一割の客に労力を注ぎ込むくらいなら、風俗嬢だけに的を絞ったほうが圧倒的に効率がいいんですよね。そういったこともあって、客も風俗嬢だけに淘汰されていくんだと思うんです」

厚底のブーツにマイメロのパーカーにMCMのリュック。この典型的なホス狂いファッションは、歌舞伎町を歩いていると、夜でも朝でも必ず目にする。そしてとなりには担当ホストと思わしき男がおり、アフター用の飲食店やラブホテルに入っていく。隣に担当ホストがいない場合は、声をかけてくる客引きやスカウトたちを、虫けらを見るような目で追い払いながら、担当ホストのいるホストクラブに猛進する。

月に数百万はザラ、一晩で一千万円を担当ホストに貢ぐホス狂いもいる。ホス狂い＝メンヘラと言っても過言ではないが、ホストクラブには笑えないメンヘラも来店することがある。

「未成年は入れられないので初回の入店時には身分証明書を提示させてるんですけど、障害者手帳を持っている子もたまに来るんですよ。風俗でも働いているとは思うけど、国からも障害年金をもらっていると言っていますから」

向精神薬をテーブルで飲み出すことなど日常茶飯事だ。デパスやヒルナミンを袋にパンパンに詰め、まるでラムネみたいに食べる風俗嬢を「もっと食えー」「それ美味しいの？」と煽る田口ですら、障害者手帳にはちょっとばかり引いてしまった。

売掛の支払日にも風俗嬢たちはファンキーな本性をあらわにする。つい数日前まで「大丈夫、払えるよ」と言っていた女の子が、当日になると「財布を落としたので払えない」「今トラックに跳ねられて両足を骨折した」などと平気で言う。

私も風俗嬢への取材当日二時間前に、「実は昨日から入院していました」とドタキャンされたことがある。バレないと思っているのかおちょくっているのかしらないが、信じられないような嘘を平気でつくというのは風俗嬢を象徴する生態のひとつである。

二〇一九年の夏頃だったろうか。歌舞伎町のホスト街にあるビルの三階に深夜営業のパフェ屋がオープンした。私はヤクザマンションのベランダからラブホテル街を通るカップルを眺めては、「あれは不倫か」「これはデリヘルか」と考えながら暇を潰していた。目の前の駐車場では大学生らしき女がまた嘔吐している。

どうにも眠れる気分ではないので、私はその深夜営業のパフェ屋に行ってみることにした。深夜二時過ぎ、店内に入ると、カウンターには疲れ切った顔をした女たちが座っていた。左手にスマホを持ちながら、右手でパフェをつまらなそうにかき回している。

二人組が三つで女は計六人。彼女たちの会話を聞きながら私もパフェをかき回していたのだが、内容からするに男がひとりで来るような店ではまったくなく、冷や汗が出てきた。

「もう一時間も経つのにぜんぜん連絡来ないよ〜」

「私も……。ナツミはすぐに呼ばれたのにね」

ヤクザマンションのベランダから外を眺めていると、職務質問の様子をたまに見ることができる

彼女たちは下を向きながらスマホを何度も何度も確認する。ネイルチップで画面を叩く音がどうも気に障る。

「あ、連絡来た！」

ひとりの女の顔がパッと明るくなり、一緒に来ていた友人（？）の存在などなかったかのように駆け足で店を出て行った。残された女はさらに顔が暗くなる。そしてまたひとり、ポツリポツリと減っていき、客は二人だけになった。二人は違うグループのようで、会話は一切なく、ネイルチップでスマホを叩く音だけが店内に響いている。

ホストクラブには、店の営業が終了し

た後に担当ホストとの時間を外で過ごせる「アフター」というシステムがあるが、彼女たちはアフター待ちのホス狂いである。ただ、人気ホストともなると一日に指名が複数入り、退勤後のアフターも数本こなさなければいけない。

営業終了後はミーティングがあるホストクラブも多い。深夜一時以降は法律上、客を店内にいさせることはできないのでアフター待ちの女たちは一旦外に出され、担当ホストからの連絡を待つことになる。

外で待っている女にとって担当ホストは一途な恋の相手であるが、ホストにとっては数ある客のひとりだ。ミーティング後、疲れ切って店内で寝ていたり一本目のアフターでラブホテルに入ってしまい二本目のアフターをすっぽかしたりするのは普通のことだ。

担当ホストに後回しにされてしまった女は朝までパフェをかき回し、始発で帰るかもしくは朝から風俗店に出勤する。最後までパフェ屋に残っていた女の表情を見ると、私まで切ない気持ちになってきた。

しかし、ホストもホストで大変である。キャバクラと違ってホストクラブのアフター代は基本的にホスト側が支払うことになっているからだ。「バカはアフターで赤字作って金が回らなくなる」と田口が言うように、ホストにとってのアフターは好きな人とのデートでもなんでもなく、シビアなものである。

「売れているホストはまずアフターをすっぽかすことはないですし、一つ一つ計算してますよ。今日指名してくれた客の売り上げから自分の手取りを計算して、アフターはいくらまでに抑えればこれだけの利益が出るというように」

そうなると一撃の高級シャンパンなどを入れない限りは、女の子も「姫」のような扱いを受けることは難しくなってくる。いつまでも「つるとんたん」からの「バリアン」といったしみったれたアフターで満足しているようではホス狂いの名に恥じるのだ。

たとえば、田口の店でもっとも高い酒は、高級ブランデーとして知られる「ヘネシー・リシャール」。ただそれにも売り方がある。

「うちの店では大体、原価七％。七万円で仕入れた酒は百万円で売ります。リシャールは四十万円のときもあるので、一本五百万以上ですね。リシャールを頼んだとしても開けさせないし持ち帰らせない。持ち帰りたいなら自分で酒屋行って買えって話ですから」

当然、未開封の「ヘネシー・リシャール」は、別の日に再び五百万円で売られることになる。仕入れ値が浮いたぶん、ホストに渡すバックも増やすことができる。

「ホストクラブは人件費が高いですから。客が百万円使ったらホストには四十五万円渡しています。そこから酒の原価、広告費や経費などもろもろ差し引かれますから」

田口がプレイヤーだった十五年ほど前までは、ホストのバック率はもっと低かったというが、大手グループ（groupdandy、AIR GROUP、冬月グループなど）の台頭により、プレイヤーファーストの給与体系になり、業界全体がその基準に従わなければならなくなった。大手グループよりも条件が悪ければ、規模の小さい店からはプレイヤーが離れていく一方だからだ。

「昔は〝辞めたければ辞めろ〟ってぶん殴るのが普通でしたが、今は〝頑張って続けてみようよ〟ってプレイヤーに言う立場ですからね。僕の店では、『入店から三か月は叱るな』『暴力は禁止』というルールを定めていますよ」

ホストクラブの捕食者はヤクザではない

毎年十一月、歌舞伎町・花園神社で開催される酉《とり》の市には、約六十万人もの人が集まるといわれている。明治通りまで人がはみ出すほどの大盛況で、ヤクザマンションのベランダにもその賑わいが伝わってくる。

　ベランダで焼きそばでも食べようと花園神社に行ってみると、赤い幕で囲われた見世物小屋があった。どうやら日本で最後の一軒とされる見世物小屋一座「大寅興行社《おおとらこうぎょうしゃ》」によるものらしい。

　この見世物小屋と並んで酉の市の風物詩と呼ばれるのが、境内に集まる裏稼業の人間たちである。ホストクラブを経営する田口など、グレーゾーンの人間にとって酉の市はなるべくなら近づきたくない場所であるという。

「ホストクラブには今でもヤクザのケツ持ちがいるのが普通です。僕の店についている組は酉の市の時期に、いつも金ピカの干支の像をくれるんですよ。面白がって店に飾ってあります。自分たちで買った熊手は、神社の納め所に投げ入れて新しいものを買うんですが、歌舞伎町中の人間が同じ場所に集まるってことなので、トラブルが起きるに決まっているんですよ」

　ライバル関係にあるホストクラブ、スカウトとホストなど、普段あまり顔を合わせることがない者たちが集合するため、ほんの少しの引き金で殴り合いの喧嘩に発展する。その場にヤクザがいればもう面倒極まりない。

ただホストクラブとヤクザの関係も、暴対法や暴排条例によりホストからヤクザになるというレールが敷かれていたようなひと昔前と比べると薄まってきている。

ホストクラブはバーも併せて経営していることが多い。ヤクザへのみかじめ料は、バーの場合は大体三万円、ホストクラブの場合は五万～十万円が相場で、田口が経営するホストクラブのみかじめ料は月十万円である。

ひと昔前であれば、ライバル店のホストたちがクラブに乗り込んできては、店内をギタギタに荒らしていくこともあったそうだが、そんなことをする常識外れな人間はさすがにいまの時代はいない。街の慣習に倣ってケツ持ちをつけたものの、田口もその効力を実感した試しなどないという。

「このカード（ケツ持ち）をいつ使うんだろうという疑問はありますね。トラブルの解決は警察がやってくれますし。下手に力のない組をケツ持ちにつけてしまうと、それ自体が弱みになって、ほかのヤクザにやられる可能性もあるんですよ。そう考えると、ケツ持ちをつけていないホストクラブもあると思うんですよね。核兵器と同じで、持っているだけで抑止力になるという考えもありますが」

歌舞伎町におけるヤクザの縄張りは複雑に入り乱れている。ヨーロッパの強国たちがアフリカ大陸をわけたように、直線を引いて済む話ではない。ケツを持ってもらう組はその店のオーナーが誰と知り合いか、誰から紹介を受けるかなど、本人の交友関係によって決まる。たとえば大手グループのホストクラブになると、店舗ごとにケツを持っている組が違うということまである。

また、第三者からケツ持ちの紹介を受ける場合はこんなことも起きる。

「〝田口さん今度店始めるんでケツ持ってくれる組紹介してください〟って言われるとするじゃないですか。そいつのことがちょっと気に食わなかったり、繁盛されるとこっちが困る状況だったりしたら、ヤクザには裏で〝好きにやっちゃってください〟って伝えますよ。たとえばそれでみかじめ料が月三十万円になったとしたら、僕もそこからいくらか抜けるじゃないですか」

しかし、ヤクザ以上にホストクラブを食う立場にあるのは、「ホストクラブの無料案内所」

であると田口は言う。

歌舞伎町で通行人に声をかける男は大きく分けて三種類いる。キャッチ、スカウト、そしてホストクラブの無料案内所の人間だ。ホスト自身が通りに立ち、ホストクラブに引き入れることは基本的にはなくなっている。案内所の人間もホスト風の格好で街に立っているが、ホストクラブの人間とは完全に別の生き物だ。

二〇一五年あたりから、女性がホストクラブを初回利用する場合は案内所を通すのが常になった。田口の体感では、初めて店に来る女性の八割が案内所経由である。

案内所経由の場合、売り上げは丸々案内所の取り分となり、ホストクラブの利益はゼロどころかテーブルにかかった経費を踏まえると赤字になる。中には案内所を通すことで料金が安くなると勘違いしている客もいるが、そういった勘違いは案内所にとっては好都合である。

プレイヤーであるホストたちにとっては自分を本指名してくれる新規の客を捕まえるチャンスになるが、ホストクラブとしては次に繋げてもらわないことには何の意味もない。

「案内所から客が来たときに、〝どうせ1回しか来ない客だし〟と流れ作業のように接客するホストもいれば、いきなりセックスするホストもいる。それもただヤリたいだけですよ。次に繋げる気があるのなら、初回からセックスするなんてありえませんから。店はプレイヤーに少しでも稼いでもらいたくて案内所経由の客を受け入れているわけですから、そういう奴らを見るとオーナーとしては殺したくなります」

ホストクラブの初回利用は数千円と格安になっているケースがほとんどだ。その料金を目当てにリピートをしない前提で来店する「初回荒らし」と呼ばれる客もいる。そういった客は、その日の性欲を満たしたいホストにとっても都合がいいことは言うまでもない。

スカウトと結託するホスト

ホストクラブにおける本指名は「永久指名」であり、そのホストが店を辞めない限り客は担当ホストを変えることができない。また業界の掟として、客が飛んだ場合、未精算の売掛金（ツケ）はすべて担当ホストの負担となる。事前に借用書などを作成しておき法律に基づいて取り立てるホストもいれば、実家を押さえておき親に直接アプローチするホスト、取り立てる労力を考慮して自腹を切るホストもいる。

大金を稼ぐためには売掛をさせることが前提となってくるためホストクラブで働くこと自体がリスキーであるわけだが、売掛金まで店が面倒を見ることになると商売として成り立たない。

仮に売掛金まで店の責任となるのであれば、ホストは可能な限り売掛をさせたうえで回収に本腰を入れることなどまずないだろう。最悪、ホストだって飛んでしまえばいい。売掛というシステムがある限り、その責任をホストが持つことは当然とも言える。

そのぶん店は寮費や宣伝広告費など、ほかの面でホストたちの面倒を見ている。さらには新人ホストが生活苦に陥らないよう、最低保証をつけている店がほとんどである。

田口の店では出勤さえすれば一日あたり七千円の日当が出る。週一日の休みで月に二十五日間出勤すれば、最低でも十七万五千円の月給になる。

すでに担当ホストが決まっている客に対し、別のホストが親密になったり連絡先を交換したりすることは客の取り合いによるトラブルを防ぐためにタブーとなっている。しかし、あくまで暗黙のルールであり、金脈を目の前にすればホストたちは臨機応変に対応する。

繰り返しになるがホストクラブの客の九割は風俗嬢であり、残りの一割に労力を注ぎ込むことは非効率だ。だが、風俗の世界に踏み込もうとしている女性が目の前にいるならば、話は変わる。

ＯＬの客が月に何度も担当ホストのもとへ通っていれば月々の収支に足が出始め、貯金を切り崩していることは容易に想像できる。担当ホストとしては風俗の世界に進んでもらうチャンスになるわけだが、担当ホストから「風俗に行ってくれ」と言うことはない。

ＯＬの感覚はホス狂いのそれとはまだ違うため、その一言で一気に冷めて店に来なくなるかもしれないからだ。

「貯金はなくなってきたけどこれからも会いに来るにはどうすればいいだろうって、まずは自分で考えさせます。で、結局通い続けるにはどこかで手っ取り早く大金を作らなきゃいけない。そのうち、〝夜のお仕事もしてみようかな〟と相談されますよ」

ここでも担当ホストは自分の手を汚すことはない。「俺のためにそんなこと」などと悩む素振りを見せつつ、裏では「アイツのこと風俗に落とすから上手いこと言っておいてくれよ」とヘルプのホストたちに根回しをしている。

そのため担当ホストではないヘルプのホストたちを、あえて客と親密な関係にさせることもあるのだ。「君がそこまでの覚悟があるならいいんじゃないか」「これからも通いたいなら風俗に行くしかないんじゃないの？」と、ヘルプのホストたちに煽られる形で、ＯＬは風俗で働き出す。

ホストに恋するＯＬは、乙女心から風俗で働き始めた事実を担当ホストに隠す。担当ホストもカミングアウトがあるまでは知らないふりをする。

「ホストの仕事はチームプレイなので。汚れ仕事はヘルプがやること。ヘルプは売れっ子ホストの引き立て役ですから」

ホストたちによるチームプレイは店外まで及ぶこともある。ホストとスカウトが組めば一気に金の回りはよくなるのだ。スカウトとは街やＳＮＳなどで女性に声をかけ、ガールズバー、キャバクラ、風俗店などに女性を斡旋し、斡旋先の店からバックを受け取る者たちである。

「これ、僕の店では禁止していますよ。発覚したらそのホストはクビにしています。売春斡旋自体、犯罪なわけですから。ホストには少なからずスカウトの知人はいると思いますが、そいつと組んでビジネスやっちゃう奴がいる」

風俗で働こうとしている客や、勤務している風俗店に不満を抱いている女性が客にいれば、スカウトにその情報を売ってしまえばいい。さらには「女の子のためを思って」という顔をして直接風俗店に紹介してしまうこともある。

田口が問題とするのは、その際にホストがスカウトからバックを受け取るケースである。店でも売掛をさせ、しかも自分をスカウトに売って金までもらっていたら、女の子からしたらたまったものじゃない。

「担当ホストと客の信頼関係を利用して金にしているわけですが、これやる奴は売れないですよ。ホストとしての自分に自信がないことの裏返しですから。もしめくれたら女の子は高確率で飛ぶだろうし。もしかしたら、第6トーアの屋上から飛ぶかもしれない。ちょっと笑えないですね」

もしも風俗嬢がその担当ホストに本気で恋をしていたとしたら、そのショックは計り知れないだろう。消えてしまいたくなる気持ちもわかる。

風俗スカウトの研修マニュアル

風林会館の一階にある喫茶パリジェンヌ。価格はどれも高めだが、味はごくありきたりなものだ。トイレに行く際にはタウンページみたいな鍵を店員に借りなくてはいけないという私の行きつけの喫茶店である。

となりの席でクラブのオーナーがホステスたちにお小遣いの札束を配っている。なぜか最年長らしきホステスだけがお小遣いがもらえなかったようで、オーナーをまくし立てている。残りの若いホステスたちはその様子を嘲笑し、「何よその目は」と最年長ホステスはさらにヒートアップする――。

歌舞伎町のヤクザがスカウトたちに暴行を加えた事件（通称スカウト狩り事件）を受けて、半グレ風の男たちが緊急会議を開いている。

「ちょっと今はココではスカウトできねえから渋谷に行くしかないよな。池袋もやりづらいしよ……」

二〇〇二年に起きた銃撃戦（パリジェンヌ銃撃事件）のようなことはもうないが、パリジェ

風林会館の一階にある喫茶店「パリジェンヌ」

ンヌで聞き耳を立てているだけで半日が過ぎてしまうのである。

この日私はパリジェンヌで、歌舞伎町でスカウト会社を営む男からスカウトの研修を受けていた。上下ダークグレーのスーツでキメた二枚目の男の名は正木といった。正木のスカウト会社は歌舞伎町の路上を主戦場に、風俗、ＡＶ、キャバクラ、ガールズバーへ女性を斡旋している。

どの職種を紹介するかは相手の希望次第だが、メインは風俗だ。

風俗嬢の働き方は大きく分けて、「通い」と「出稼ぎ」のふたつだ。「通い」は店舗に所属して、こなした本数分の給料を受け取る。「出稼ぎ」は十日間など短期で地方（地方とはいえ、町田や相模原、千葉など都内近郊の出稼ぎ案件が多い）の店へ出張し、店舗が用意した寮から出勤する。この出稼ぎには「保証」の制度がある。正木が説明する。

「街に立ってみればわかると思うけど、全員が全員ハイレベルというわけじゃない。これは都内では厳しいなってルックスの子がほとんどだね。そういう子は地方の出稼ぎに回すしかないから、自然と出稼ぎ案件を扱うことが多くなってくる。だから、まずは保証の制度から教えようか」

保証がある場合、客がつかずに売り上げが少なかったとしても一定の金額が必ず給料として支払われる。客がつき、女の子の手取り額が保証額を超えた場合は、完全歩合制に切り替わる。

出稼ぎの保証額は一日あたり五万円が相場だ。勤務日数は十日間がスタンダードなので、必ず五十万円はもらえることになる。ただ保証をする代わりに一日十二時間待機で休みはなしと、ほぼ軟禁と言ってもいいような生活を強いられることになる。

十日間の契約をするも、たとえば五日が経ってもほとんど客がつかない場合、残りの五日間ものんびり過ごして五十万円を受け取れるわけではない。店側も保証金を無駄にしたくないので、常勤の女の子にお茶を引かせて（一日にひとりも客がつかないこと）でも、出稼ぎの女の子に客をつけるようになる。

そういった事情を知っている風俗嬢は、あえて「日割り保証」の店を選ぶ。保証には、「トータル保証」と「日割り保証」があり、前者は十日間など契約期間を満了することが保証発生の条件となる。

日割り保証は一日で五万円など、日ごとに保証が発生する。そのため、五日間働いて客がつかなければ、残りの五日間は無理やりにでも客をつけさせられると考え、その時点で店を辞めてしまえばコスパよく二十五万円の保証を受け取り、歌舞伎町に帰ることができるのだ。

しかし、そういった卑怯なマネをされると、店からのスカウトに対する信頼もガタ落ちしてしまうため、出稼ぎ中の風俗嬢のご機嫌取りもスカウトの任務のひとつになるのだ。

「店舗ごとに変わる条件なんだけど、S着とNSは聞いたことある？」

初めて聞く単語である。S着はソックスを履いた女子高生のコスプレ、NSはナースのコスプレといったところだろうか？

「S着はスキン（コンドーム）をつけるソープ。NSはノースキン。つまり生でセックスすることが条件のソープ。たとえホス狂いの風俗嬢でもカフェで〝生中いける？〟と聞かれるのは嫌がるから、君も隠語を使うようにね」

ちなみに生中出しは「NN」と言うらしい。大衆ソープはS着が多く、高級ソープになるほどNS・NNが増えていく傾向にあるという。つまり生のセックスは高価なサービスということになるのだが、客も風俗嬢も病気は怖くないのだろうか。

「ヘルスで働く子はいつかソープでも働くようになる。ヘルスは本番の強要が多くて断るだけでも疲れるからね。金もらって挿入させるとしてもその交渉に疲れちゃう。S着のソープなら初めからゴムつけてやることが決まっているから、そっちのほうがヘルスよりストレスがないって子がほとんどなんだよね」

またヘルスは挿入がないぶん、足の指や肛門を舐めるなどサービスが過剰になりがちなのだ。「ヘルスからソープに移った子はもうヘルスには戻らないと考えていい」と正木はつけ加えた。

風俗嬢のバック率の相場は売り上げの五十〜六十％。その場合、手取り額はこのようになる。

大衆ヘルス…六十分＝一万円
高級ヘルス…六十分＝一万三千円〜二万円
大衆ソープ…六十分＝一万二千円〜一万三千円
中級ソープ…百分＝二万円
高級ソープ（川崎）…百十分＝三万五千円〜四万円
高級ソープ（吉原）…百二十分＝四万円〜五万円

スカウトの給料は女の子の手取りで決まる。

ヘルス…女の子の手取りの十五〜二十五％
ソープ…女の子の手取りの十〜十五％

これを「永久バック制」といい、女の子が店を辞めない限りは永久にスカウトにも給料が振り込まれる。逆にキャバクラの場合は、店がスカウトから女の子を買い取り、以降スカウトに対する報酬は発生しない。

自分が店に入れた大衆ソープ嬢が一日五本一か月フルでこなせば、スカウトバックは約三十万円になる。それが五人いたら百五十万円。十人いたら三百万円。「そこまで売れる風俗嬢は一握りだよ」と正木は話すが、スカウトで成り上がろうと歌舞伎町にやってくる田舎者たちの気持ちもわかる。

二〇二一年に死刑が確定した「座間九人殺害事件」の犯人である白石隆浩も、歌舞伎町のスカウトのひとりであった。しかし、この事件に詳しいライターの渋井哲也氏によれば、「白石のスカウトによる稼ぎは月にせいぜい二十万円かそこらだった」という。

歌舞伎町には毎日バニラの求人トラックが走っているが、「稼げる男に俺はなる〜！」と放送しながら街中を走る男版のトラックも存在する。頭の悪そうな宣伝文句に誘われて上京するような男では白石ほどの稼ぎしか残せず、半年かそこらで消えていくのが関の山だ。

ざっと説明が終わり、早速、正木と一緒に歌舞伎町の路上に出た。スカウトたちの縄張りは主にラブホテルやホストクラブが密集する歌舞伎町二丁目だ。キャバクラなどのキャッチがいる花道通りより向こう側の歌舞伎町一丁目では声かけをするなと正木から事前に注意を受けた。

また、援助交際を生業としている立ちんぼや外国人にも声をかけてはいけない。大久保公園の周りに立っている女性はほぼ立ちんぼだと言ってもいいが、彼女たちは風俗店にも所属しているケースがある。店で問題を起こしたり人間性に難があったりで店を追い出されていることも多いため、「使い物にならないから声はかけるな。ついてこられても困る」と正木は言った。

「君の女のタイプを知らないけど、たとえばあの子なんてどう思う？」

顔がかなり病んでいたので最終的にはナシだが、ムッチムチの尻と太ももにレスリング選手のような肩幅。体型だけで言うとモロに私のタイプである。

「身長マイナス体重が百を切るとまず売れない。百十からが許容範囲と考えて」

今目の前にいる女の子はおそらくその数値が八十を切るため、声をかける必要はないということだ。

次に正木が目をやった女性は職安通りを歩いているＯＬ。化粧も薄くもちろんＭＣＭのリュックではなくベージュ色の鞄を肩にかけている。さすがに風俗には興味ナシなんじゃないだろうか。

「女である以上タイミング次第では全員が風俗に流れる可能性があると頭に入れておかないとダメだ」

可能性が少しでもあるならば声をかけて無駄になることはないということだ。

歌舞伎町二丁目の「三番通り」を歩いていると、正木氏の会社に所属しているスカウトが「ぶっちゃけ今いくら稼いでるの？」と出勤前と思われる風俗嬢と話し込んでいた。

「この場合、女の子が言った金額は稼いでいる額ではなく本来自分が稼ぎたい希望額だと思えばいい。現状に満足している風俗嬢は基本いないし、みんな見栄を張るから」

月に五十万円稼いでいれば、あと五十万が欲しくなる。月に百万円稼いでいれば、あと百万が欲しくなる。ホス狂いの風俗嬢に「足るを知る」という仏教的な考えなど存在しない。

ミーティングがあると言うので一度正木と別れ、再びパリジェンヌで落ち合った。その連絡は「ＬＩＮＥ」で行っていたが、今後は「Signal」というメッセージアプリを使ってくれとのことだ。

スマホアプリに詳しいＩＴライターの山野祐介氏によると、「Signal は通信内容が暗号化

現在の歌舞伎町はホスト一色。ホストクラブに征服されているようにすら見える

されており、その暗号化を解除する鍵はメッセージのやりとりをする当事者しか持てない設計になっている。

ＬＩＮＥも通信の暗号化はされているものの、運営者が解除する鍵を持っているため、警察などから開示を求められた際は暗号化を解除して捜査機関に渡される可能性があるが、運営側が暗号を解除したくても鍵そのものを持っていないのだから、開示のしようがない。そのため、メッセージを消してしまえばその痕跡は残らない。

一定期間が経過するとメッセージが消える機能などを組み合わせることで、

証拠隠滅などには極めて有効となる」という。同じような機能を持つアプリに「Telegram」もある。これらのアプリはもはや裏稼業の必需品と言ってもいい。

路上における風俗店へのスカウト行為は、声をかけた時点で東京都の迷惑防止条例に触れ、違法になる。また売春の仲介をした事実が認められれば、職業安定法違反または売春防止法違反でこちらも違法になる。

スカウトが路上で捕まるパターンとしては、路上での私服警官による現行犯逮捕がほとんどだ。女性警官が通行人に扮しておとり捜査をしているケースもある。その際のマニュアルが正木の会社にはあるという。路上に立つ前に覚えておかなければならない最重要項目として私も頭に叩き込んでおくよう指示された。

まず警察に言ってはいけないことは次の三つだ。

・女性を風俗店に紹介した
・風俗店から金を受け取った
・「組織で」スカウト行為をしている

最初の二つは容疑を迷惑防止条例違反に留めるためのものだ。最後のひとつは会社を守るためのものである。また仮に現行犯逮捕されたときのために、次のストーリーを空で言えるようにならなくてはいけない。

・スカウトになりたくていつか女性を店に紹介したいと思っていた
・なのでアルタ前にいるスカウトに直接声をかけ、その人物の下で始めた
・そのスカウトとはすぐに連絡が取れなくなった
・それなら、自分ひとりでやろうと思った
・風俗店に片っ端から電話をしたが一つも契約が取れなかった
・店からの信頼を得るためには風俗嬢たちの連絡先をたくさん知っていなければ始まらないと思い、通行人に声をかけて連絡先を聞いていた
・でも契約は一つも取れておらず一円にもなっていない。割に合わないので今日で辞めるつもりだった

区役所通りで女性に声をかけるスカウトマン

つまり、スカウト行為に関しては罪を認め、会社のことは一切口にするなということだ。しかし、これは自分の身を守るためでもある。会社に残された証拠まですべて出てしまった場合、自分の罪もさらに重くなるからだ。

正木のスカウト会社がある歌舞伎町の事務所では、日に二回のミーティングが行われている。一回目は夕方から始まる始業ミーティング。二回目の中間ミーティングは仕事の状況によっては出られないこともある。その際、正木に必ず一報を入れることになっている。

「メンバーの誰かが中間ミーティングを無断欠席した場合、現行犯逮捕されたと認識して会社にある証拠を避難させることになっているからね。君もこれだけは守るように」

違法行為であるスカウトの研修を私はやる気満々で受けたわけであるが、実際に路上で声をかけることは止めにした。もしも逮捕された場合この本の出版はなくなるだろうし、版元にも迷惑をかけることになるからだ。

「捕まるスカウトは田舎から出てきた高卒のバカばかりです。普通にやっていればまず捕まりません」と正木が言うように、違法行為を働いている自覚すらないスカウトもいるにはいるだろう。

しかし、裏稼業を営む人間たちは「覚悟」を持ってその職に就いていることを思い知らされた日でもあった。私にはたかだか金のために逮捕される覚悟などありっこない。

ヤクザがスカウトに振り下ろした拳

二〇二〇年六月の週末、歌舞伎町で『新宿スワン』（講談社）さながらの事件が起きた。

暴力団関係者と見られる男たちが歌舞伎町の路上でスカウトたちを囲い込み、殴る蹴るなどの暴行を加えたのだ。その後も暴力団関係者たちは歌舞伎町でスカウトらしき者を見つけては暴行を繰り返し、この一連の出来事は「スカウト狩り」としてメディアにも大々的に取り上げられた。

事件は歌舞伎町のスカウトグループ「ナチュラル」が別のスカウトグループからタブーとされる引き抜き行為をしたことで発生した。

文春オンラインの報道によれば、「ナチュラルの〝ケツ持ち〟をしていたのが加藤連合会傘下の賢総業で、引き抜かれた側の〝ケツ持ち〟が同会傘下の聡仁組だった。引き抜かれた側のグループに泣きつかれた聡仁組が賢総業と話を付け、旧ナチュラルにスカウトの引き抜きをやめさせようとしたが、ナチュラルの連中が突っぱねたため、聡仁組＋賢総業VSナチュラルの構図が生まれた」（一部改）という。

ナチュラルは歌舞伎町のスカウトグループの中でも最大手である。SNSが社会に浸透するとともに、スカウトたちは路上でのスカウトからネットスカウトへ移行を図ったが、このネットスカウトの手法を確立したのがナチュラルであると、ナチュラルのスカウトを彼氏に持つキャバ嬢兼風俗嬢のアユが教えてくれた。

「キャバ嬢は顔出しして表に出られるじゃないですか。インフルエンサーみたいになっている子もいますよね。そうなると口コミでその子のスカウトの名前も売れるんですけど、風俗の子は表に出れないですよね。だから、ナチュラルはTwitterを使って女の子を集め出したんです」

ネットスカウトと言っても、スカウトを名乗るアカウントが女性のアカウントに直接絡んでいくといった単純なものではない。

Twitterには顔出しをしていない風俗嬢を名乗るアカウントが無数にある。「りりたん」とか「みおたん」など、個人を特定されないようなネーミングがほとんどだ。ホストとの恋バナや客の愚痴など風俗嬢の日常をつづっており、フォロワーが五万人近いアカウントもある。そのようなアカウントの中にはスカウトが担当している風俗嬢にバイトとして運営させているものがかなりの数交ざっている。

また、リアルに風俗嬢が持っていた人気アカウントをスカウトがMAX十万円程度で買い取ることもある。買い取ったとしても実際にアカウントを運営するのはその風俗嬢だ。ツイートを全部消去してアカウント名もスカウトに変えるといったことはしない。

あくまでも「とある風俗嬢のアカウント」とフォロワーたちに思わせなくてはいけないのである。

面倒になって辞めたというが、アユも一アカウントにつき月額一万五千円で四つのアカウントを同時に運営していた。その中にはより濃い情報を発信するために複数の風俗嬢でアカウントを共有しているものもあった。

「スカウトには〝何も気にせずに自分のアカウントだと思ってつぶやけ〟って言われていました。風俗嬢っぽいことを風俗嬢として普通にツイートしてればいい。それでお金もらえるならまったく苦じゃないのでみんなやるんです」

「これはスカウトが風俗嬢に運営させているアカウントです」といくつかプロフィール画面を見せてもらったが、どう見ても風俗嬢の個人アカウントにしか見えない。実際にツイートしているのは風俗嬢本人なのだから当たり前だ。

やりすぎると怪しまれるので〝いい感じに〟ホストで豪遊する写真や稼いだ札束の写真など、稼いでいることをアピールするツイートを交ぜていく。某前澤氏のように金配りキャンペーンまでしているアカウントもある。

するとフォロワーの風俗嬢たちから、「どこの店に行けばそんなに稼げるんですか?」とDMが来るというわけだ。

「どこの店かはちょっと言えませんが、私のスカウトさんならいい店を紹介してくれますよ」と返せば、あとはスカウトの思い通りである。むしろ、そのDMの返信すらスカウトが行っていることもある。アユはTwitter経由でスカウトの案件が成立しても、バックはもらえなかったというが風俗嬢への成功報酬が発生しているアカウントもあるだろう。

さらに風俗求人のツイートを思い出したようにリツイートする。貼られたURLかLINEの友だち登録をするとスカウトに繋がる。しかし「風俗求人のリツイートが多すぎるアカウントは下手くそ。ナチュラルではないと思います」とアユは言う。

自分から風俗求人をリツイートしてしまうのではなく、風俗嬢からDMが舞い込んでくるように仕向けないといけないのだ。

より戦略的なスカウトは、アカウントごとに性格を持たせているという。アユがアカウントの例を挙げてくれた。

・ホストに大金をつぎ込んでいるアカウント
・整形に金をつぎ込んでいるアカウント
・バンドマンを追っかけて貢いでいるアカウント
・ヒモの彼氏を養ってあげているアカウント
・男や整形には目もくれず、ただひたすらソープで愚直に稼ぎまくるアカウント

「整形に金をつぎ込んでいるアカウント」は、本当に整形に大金を使っている風俗嬢に運営してもらっている。「やっと整形できたよ！」と、手術の内容がわかる写真をアップしていれば、まさかスカウトのアカウントだとは思わないだろう。

「ただひたすらソープで愚直に稼ぎまくるアカウント」は玄人感があって個人的にはもっとも好きだ。なんだか応援したい気持ちになり、日々見守ってしまう。

三章　東通りに立つ黒人の正体

六本木から歌舞伎町へ黒人の大移動が起きた

昼食をとろうとヤクザマンションの一階にある「松屋」へ入ると、上層階にいるパンチパーマのヤクザが同じく牛丼を買いに来ていた。いくら歌舞伎町のヤクザとはいえ、いまどき珍しい髪型である。

「おい、まだか？」

ヤクザがベトナム人らしき店員にプレッシャーをかける。異国とはいえ「堅気じゃない感」はわかるのだろう。余計にベトナム人の動きには焦りが見えるようになり、厨房にいる従業員も慌ただしくなる。席に座っているサラリーマンたちはすっかり下を向いてしまった。

牛丼を作るのになぜこんなに時間がかかるのだろうと思っていたが、ベトナム人が持ってきた牛丼を見て私は納得してしまった。おそらく三十杯はあるのではないだろうか。床にまで到達しそうな細長い袋を両手に提げてヤクザはマンションへと戻って行った。あんなに細長い袋を松屋が隠し持っていたことに驚きである。

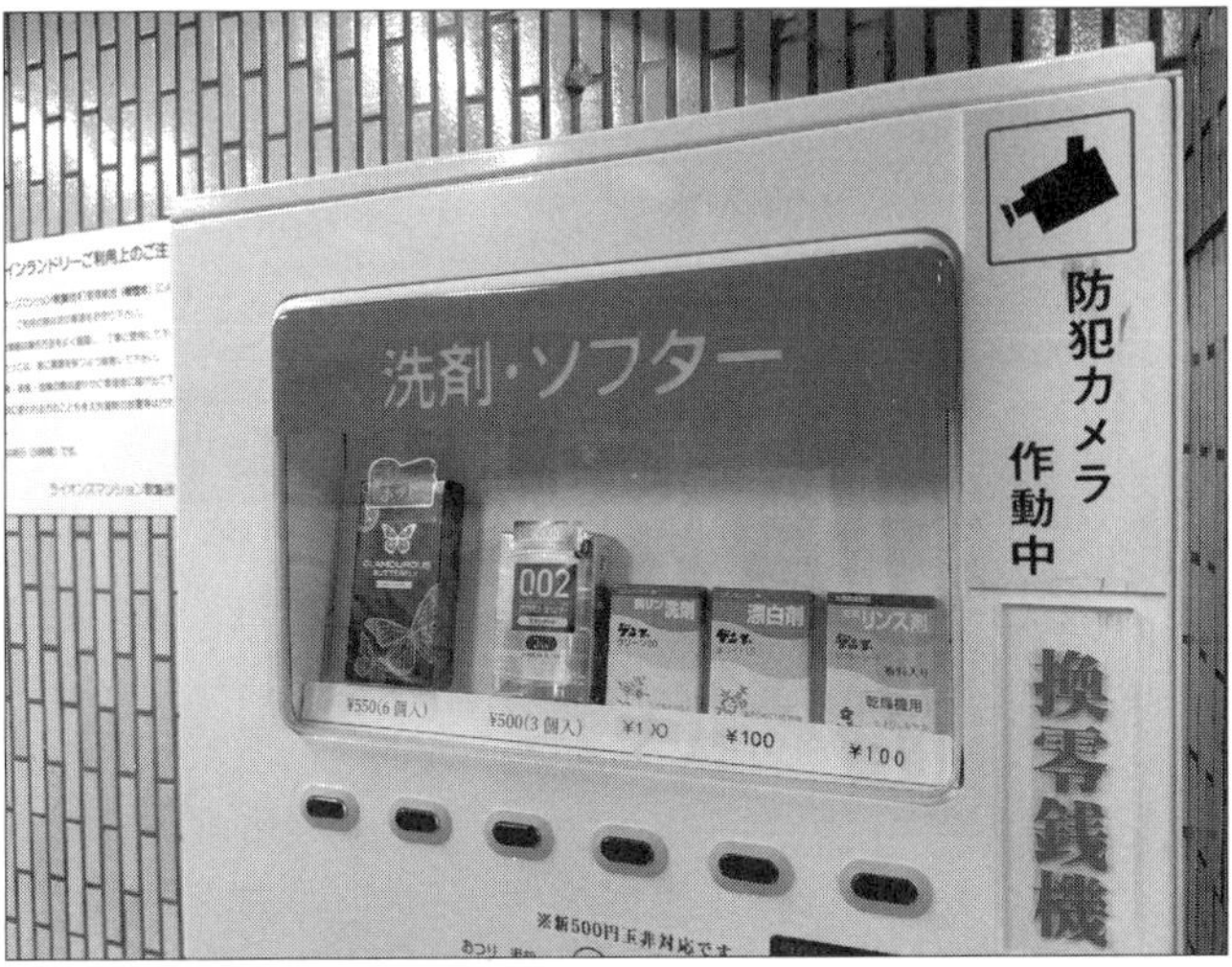

コインランドリーで洗剤と一緒にコンドームが売られている

コロナ禍前、約二百七十室あるヤクザマンションの実に三分の一は民泊として運営されていた。残りの三分の二といえば、ホスト、スカウト、キャッチ、風俗店の待機所に受付、そしてヤクザといった感じだ。

だが、コロナ禍でほとんどの民泊は廃業。レンタルルームに置き換わり、格安のヤリ部屋として使われるようになった。その証左に、一階のコインランドリーにある洗剤売り場にコンドームが追加された。

民泊の利用客の多くは外国人観光客であり、彼らを目当てにアジア系の娼婦がマンションを上から下へうろついていたことも多々。エレベーター内で一緒になったところで売春を持ちかけているようだった。

住んでいる住人も民泊も入れ替わりが激しいのだろう。一階にあるゴミ捨て場には毎日のように大型の家具や家電がまだまだ使える状態で捨てられている。

掃除機、ＰＣモニター、椅子、机、刑務所に入っているときに差し入れでもらったのであろう文庫本（番号が書かれたシールが貼ってある）など、管理室にいる警備員に断っていろいろなものを拾った。

中でも六十型の液晶テレビが捨てられているときは川の主でも釣り上げたような気分になり、警備員と握手を交わした。家にテレビのない友人にプレゼントしたら、心底喜んでくれた。

そんな私の城であるヤクザマンションへは、都営大江戸線東新宿駅Ａ１出口で降りるのが最短ルートであるが、ＪＲを利用した場合は歌舞伎町の中をクネクネと通っていくことになる。

「お兄さん今日は何かお探しですか」

「お兄さんおっぱいは？」

「ギャンブルは？」

「オカマはどうですか？」

インドの客引きに比べればはるかにものわかりのよい人たちではあるが、家路につくたびに毎回キャッチの人間がまとわりついてくるのは相当煩わしい。

私はこの家路を快適なものにするための方法を二つ編み出した。一つ目はイヤホンをつけてしまうことだ。そんなのお構いなしで話しかけてきそうでもあるが、意外にもこれでほぼ回避できる。もう一つは風俗店のキャッチにしか使えないが、「お兄さんのおっぱいのほうがいいな」と近寄れば向こうから離れてくれる。

歌舞伎町にある風俗案内所の男性いわく、二〇一六年四月に「新宿区公共の場所における客引き行為等の防止に関する条例」が一部改正強化されるまでは、歌舞伎町交番の前に多額の請求が書かれた領収書を握ったぼったくり被害者の列ができていたという。

その後ぼったくりは激減したと見られているが、当然ゼロになることはありえない。今日も歌舞伎町のどこかで誰かがぼったくられているわけだが、通りに立つキャッチ（若手ではなくベテランの者たち）が皆口を揃えて言うのが「東通りにいる黒人の客引きは百%ぼったたくり」というものだ。

私は黒人の客引きについていったことはないが、たしかにイメージは悪い。それは私の友人に黒人の客引きからコカインを購入している者がいることも影響しているだろうが、一番は彼らの素性を知らないからではないだろうか。


二〇二〇年四月に発令された第一回目の緊急事態宣言を機に、体感であるが歌舞伎町の黒人は一・五倍ほどに増えたような気がする。これは通りに立つ黒人が言っていたことであるが、外国人観光客が多く集まる六本木から黒人たちが歌舞伎町に流れてきたことによる。

しかしこの現象はコロナ禍前からすでに起こっていた。数年前まで警視庁公安部で捜査官をしていた男性（以下、捜査官）に六本木におけるその経緯を聞いた。

「日本政府は二〇二〇年までに外国人観光客年間二千万人という目標を掲げていたが、二〇一五年にほぼ達成し、年間三千万人に引き上げた。そして二〇一九年には三千万人を超えたわけだが、この外国人観光客をターゲットにした〝ドリンクスパイキング〟の被害が急激に増えてしまった」

ドリンクスパイキングとは、バーやクラブにおいて客の飲み物に薬物を混ぜ、昏睡させたうえで金銭や所持品を奪うといった手口の犯罪である。外国人観光客（とくに欧米圏）にとって日本の盛り場といえば六本木であり、歌舞伎町は物見遊山的なポジションにある。そのため歌舞伎町よりも六本木でその被害が多発し、各国の在日本大使館から対策の要請が下りたというわけだ。

「パスポートを盗まれた、財布を盗まれた、クレジットカードを不正に利用されたなどひどい状況だった。黒人のキャッチについていくと、店にいるのは大体フィリピン人女性。なぜなら彼女たちは英語ができるからだ。黒幕は英語圏であるナイジェリア、ガーナ、カメルーンの男が多かった。私はドリンクスパイキングを行っている店がリスト化された資料を当時持っていて、各大使館からそのリストを共有するよう言われていた」

リストに載っている店は次々に摘発されていったが、ある店を潰してもまた別のところで気づけば開店しているといういたちごっこが続いた。「まるでカビのようだった」と捜査官は言うが、経営者やキャッチたちは六本木に見切りをつけ歌舞伎町に移ってきた。そしてコロナ禍によってその状況にさらに拍車がかかったというわけだ。

歌舞伎町における黒人たちの素性は経営側とキャッチで大きく違う。

「店の経営者や幹部などは日本人女性と結婚して在留資格を得ている者が多い。配偶者ビザさえ取ってしまえば就労に制限はかからずかなり自由に活動できるようになるから、とにかく日本人の嫁さんを探す。その辺の家出少女と結婚して、すぐにＤＶで放り出すといったケースもある」

歌舞伎町でキャッチをしている黒人に道端で「日本の女は好きか」という質問をすると、

「当たり前じゃん。結婚したいよ。日本の女の中にはガイジンが好きな子が結構いるでしょ。そういう子だけが集まるマッチングサイトがあるから、俺たちの中には登録してる奴多いぜ」

と答えた。では配偶者のいないキャッチたちはどのようにして日本にいるのか。

「そもそも路上のキャッチという職業で在留資格がもらえるわけがない。オーバーステイしている者や就労ビザで働いているものの待遇に不満を持ち逃亡している者などだろう」

しかし歌舞伎町や六本木などの繁華街では、「ヘイ、フレンド」と堂々と黒人たちがキャッチ行為をしているのが現状だ。そもそもこのキャッチ行為自体も迷惑防止条例に違反している。警察は野放しにしていると言ってもいいだろう。

「野放しにしているという表現は正しい。でも数があまりにも多すぎる。ひとりひとり交番に連れて行って、逮捕して、入管に引き渡してとやっていたらそれだけで警察官の仕事が終わってしまう。そもそも入国させたのは入管なのだからお前たちが責任もって取り締まれというのが警察の言い分だ」

入管の職員は職務質問をする権利を持っている。日本では「当局が在留カードの提示を求めた場合、提出しなければならない」と決められている。

加えて、黒人が経営する店のバックには人権派の弁護士がついていることもある。摘発の素振りを見せると、彼らが「外国人に対する人権侵害だ」と正義を振りかざしてくるのだ。

偽装難民の黒人たち

「オーバーステイ、逃亡者のほかにもいわゆる〝難民認定待ち〟の黒人たちもいるはずだ。日本の難民認定率は〇・四％と世界でも群を抜いて低い」（捜査官）

日経新聞【「難民で稼ぐ国」と「難民が稼ぐ国」…日本は「難民を見ない国」】（二〇一五

年三月一五日）には、

日本では繰り返して難民申請ができ、申請中は本国に強制送還されない。在留資格を持つ人に限り、申請の半年後から就労も認められている。この制度を悪用して、難民と呼べるほどの背景や事情もないのに、出稼ぎ目的で来日した「偽装難民」が特権的な難民の「地位」を申請する例は、枚挙にいとまがないそうだ。

とある。この偽装難民により審査期間が全体的に長期化し、本来救われるべき立場にある難民認定申請者が放置されているといった本末転倒な状況になっている。

二〇一三年における日本の難民認定申請数は三千二百六十人であったが、二〇一六年には一万九百一人、二〇一七年には一万九千六百二十九人にまで跳ね上がっている。その状況を受け、

法務省は一八年一月から運用を改め、申請後二カ月以内に書面審査を実施。申請理由が

「母国での借金」など明らかに難民に該当しない申請者や、「正当な理由」がない再申請者は就労を認めないことにした。

【日本への難民申請が半減　「偽装申請」の抑制策に効果？】

（「朝日新聞DIGITAL」二〇一九年三月二十七日）

結果、二〇一九年の難民認定申請者数は一万三百七十五人と約半減。二〇二〇年は三千九百三十六人とさらに大幅に減ったが、これは新型コロナウイルスの影響と見ていいだろう。

しかし「現在でも、日本に滞在する難民認定申請中の人々には偽装難民がかなりの数いますよ」と話すのは、難民支援団体関係者の桜井だ。桜井は難民や難民認定申請者たちと日々、顔を合わせている。

「僕も一部しか見ていないから考えに偏りはあると思いますよ。でも、難民認定申請をした人の中で本当に迫害を受けて母国に帰れない人ってそりゃ少数派ですよ。もちろんそういう人たちは難民認定されて救われるべきですけど、そうじゃない奴があまりにも多すぎる」

路上に停めた車のトランクで黒人の客引き向けに弁当を売っている黒人

母国での迫害などの事実がないにもかかわらず、日本へ入国してすぐに難民認定申請をする。ハナから難民認定されるとは思っておらず、特定活動（一部就労制限あり）の在留資格を取ることが目的の者たちが「偽装難民」というわけだ。

「難民申請は誰でもできるんですよ。留学生で日本に来て卒業したけど就職も決まらないしまだ帰りたくないから難民申請する奴とか、観光ビザで来て不法就労していたけどまだ稼ぎ足りないから難民申請する奴とか、いくらでもいますよ。審査期間は支援団体から支援金を受け取ることもできますから、難民申請した者勝ちみたいなところはありますよね。

たとえば日本人がカナダ（二〇一九年認定率51・18％）に行って〝難民です〟って言ってもそりゃ無理じゃないですか。でも国によっては言い方悪いですけど有利なところもありますよね。支援金をもらいながら世界を渡り歩けますよ。それこそ、支援金をもらいつつ歌舞伎町でキャッチをやっている黒人なんていくらでもいると思いますよ」

日本政府は難民認定申請中の外国人に対し、申請から六か月後に一律に就労を認める運用を二〇一〇年から始めた。

しかし、これにより桜井の言う明らかな偽装難民が増え、二〇一八年一月にはこの運用は廃止されている。特定活動の在留資格によって日本でも滞在を認められていながら、就労許可が下りない例もあるのだ。むしろそうなると歌舞伎町でキャッチをするくらいしか方法はなさそうでもある。

また、就労不可の立場というと仮放免の人々もいる。

「本当に迫害を受けているなら仮放免になってもまた難民認定申請すると思いますけど、偽装難民ならさすがに母国に帰るんじゃないですかね。仮放免中の生活って、身寄りがないと地獄ですからね。一回目の難民認定申請で運良く特定活動の在留資格（最長で五年）が取れても、二回目はほぼ下りずに入管に収容されて仮放免でしょう。

歌舞伎町でキャッチをやっている黒人には偽装難民が多いと思いますけどね。だから、そうなる前に必死になって日本人と結婚しようとするんですよ。さすがに技人国（技術・人文知識・国際業務の在留資格。いわゆる高度外国人材）の人が歌舞伎町でキャッチなんてやらないでしょう」

ある歌舞伎町の黒人

歌舞伎町の路上で黒人のキャッチに声をかけても「ブラザー」と握手を求められ、「今日はナニするの？」とキャッチ行為をされるだけで、込み入った質問をすれば「日本語ワカラナイネ」とすぐにはぐらかされる。

キャッチについていっても、酒を飲まされ女を勧められ、運が悪ければぼったくられるだけである。しかし「こんな人に会いたい」と考え続けていると、その人は巡り合わせのように突然目のまえにやってくる。一年以上は顔を合わせていない知人の女性から突然連絡がきた。

「バーをオープンすることになったの。よかったら来ない？」

そのバーの経営者はナイジェリア人のイブラヒムという男で、知人は開店準備の手伝いをしているという。

イブラヒムは日本国籍の女性と結婚し、すでに二十年以上を日本で暮らし、日本語も流暢である。そして聞いてみれば歌舞伎町の路上にいた時期も長く、今でも歌舞伎町に出入りをしては困っている同胞たちを語学力と知識と人脈でバックアップする仕事もしているという。

私は関東某所にある開店準備真っただ中のイブラヒムの店へ足を延ばした。しかし、関東の片田舎に顔も知らぬ歌舞伎町の黒人にひとりで会いに行くというのは、その場に知人がいるとはいえ若干の不安がある。

その知人というのも人を信用しやすく少し騙されやすい部分がある。一年前に会ったときも終始「私、騙されているかもしれない」という相談であったが、聞く限りでは宗教関連の人たちに騙されていたと思う。

少し怯えながらもイブラヒムとの付き合いが始まった。それにより完全にとまでは言えないが、歌舞伎町の黒人に対して抱いていた疑問の多くが解決されることになった。なお、イブラヒムは自分たち黒人のことを「ブラック」と呼ぶが、あえてそのままの表記にしてある。

——歌舞伎町の黒人たちの主な仕事はやはりキャッチと麻薬売買ですか。

イブラヒム　そう。俺たちの仕事はインターナショナルクラブのキャッチと麻薬ね。日本は英語が通じない国でしょ。日本語が話せないと仕事できないじゃん。麻薬売買はもちろんキャッチも違法だけど、麻薬売買もキャッチもブラックだけじゃなくて日本人もやってるじゃん。

——歌舞伎町の黒人が扱う薬物はやっぱりコカインが中心ですか。

イブラヒム　いろいろね。大麻もあるし覚醒剤もあるね。でも日本人にはブラック＝コカインというイメージがあるみたいで、自然とコカインが多くなっているよね。

――黒人のキャッチが増えたのはいつから？

イブラヒム　ブラックが歌舞伎町に来始めたのは二十五年くらい前だったね。歌舞伎町、渋谷、原宿、六本木、上野、いろんなところでヒップホップの洋服を売っていたけど、売れなくなってバーやクラブを開き始めたね。

――インターナショナルクラブとキャッチの関係はどうなっているんですか。

イブラヒム　客引きはインターナショナルクラブの従業員じゃなくてフリーランサーね。店と契約して客を連れて行っているだけ。大体、客が使ったお金の三十％をキックバックとしてもらってるね。昔は店の従業員として月給制でキャッチをしているケースもあったけど、いまはないよね。インターナショナルクラブの経営者はアフリカ人で、日本人が経営しているケースは聞いたことないね。

――日本人のキャッチと黒人のキャッチが話しているところをよく見ます。

イブラヒム　ブラックのキャッチが日本人の経営している店に連れて行くこともあるよ。

店に直接連れて行くこともあれば、日本人の客引きに引き継ぐこともある。その場合はブラックにもバックが入る。その逆もあるよね。英語がわからない日本人のキャッチが外国人観光客をブラックのキャッチに引き継ぐこともあるね。

――インターナショナルクラブや黒人のキャッチにヤクザのケツ持ちはいますか。

イブラヒム　どちらもヤクザに金は払ってないよ。自分たちだけでやってる。ブラックが扱う麻薬のルートに日本のヤクザが関わっていることもあれば関わっていないこともある。ヤクザが関わっていなければブラックが場所代をヤクザに払うことはないね。俺たちは生まれたときから何かにビビるとかないから。常に生きるか死ぬかのサバイバルだから。ヤクザだから頭を下げる、金を払うとかはないね。ヤクザはヤクザ、ブラックはブラックでしょ。昔からヤクザは俺たちに「歌舞伎町から出ていけ」と言ってくるし、大きい喧嘩にもなってるね。警察も俺たちに「黙って出て行ったほうが安全だ」と言うけど、俺たちは出て行かないよ。

黒人が売っている弁当の中身はナイジェリア料理

早朝の歌舞伎町には路上で服を売っている黒人たちがいる。

ヤクザが「場所代を払え」とふっかけ、大喧嘩になったこともある。その際はヤクザも黒人も歯が折れて血だらけとなり、双方が加害者であり双方が被害者という形で逮捕された。

前出の捜査官によれば「あの事件の発端は黒人の奥さんである日本人女性だ。バーやクラブは警察の監視があるし、家賃もかかる。

〝だったらワゴン車で服を売ればお金がかからなくていいんじゃない？〟とアドバイスした。そんなノリで営業したら大変なことになった。だが黒人は場所代を絶対に払わなかった。黒人たちは〝ケバブ屋はどうなんだよ！〟と叫んでいた」という。

――彼らは母国を出るときからすでに、歌舞伎町を目指して日本に来るのですか。

イブラヒム　それはないね。アフリカから日本を見たときに、歌舞伎町という街があることすらわからないね。

日本にいるブラックの中で、歌舞伎町にいる人間はごく一部ね（日本で暮らすアフリカ人は、二〇一八年六月末時点で一万六千三百四人いる）。渋谷、六本木ふくめても繁華街でキャッチしているブラックはごく一部ね。日本に住んでいるブラックはもっともっといっぱいいるよ。

――イブラヒムはどのタイミングで歌舞伎町に来たのですか。

イブラヒム　俺は日本に来て二週間後に歌舞伎町を知ったね。はじめは練馬にいたから、池袋・六本木・渋谷・歌舞伎町、とりあえず行ってみるでしょ。歌舞伎町は面白いところだと思ったね。六本木と同じで外国人観光客多いじゃん。だから日本語が話せなくても歌舞伎町のキャッチならなんとかなるよね。簡単な仕事だからね。

――キャッチを始めるときに誰かに許可を取る必要はありますか。

イブラヒム　そんなのひとつもいらないよ。日本人のルールとはまったく違うからね。だってみんな困って日本に来てるんでしょ。だからここは俺の場所とか、そんなルールを俺たちは作らないよ。紹介できる店を自分は探さなければいけないけど。

――六本木にも黒人のキャッチはいますが、彼らと歌舞伎町の黒人が繋がっていることはありますか。

イブラヒム　街ごとに繋がりを作っていることはないけど、国によって繋がりはできるね。同じ国同士の人間なら、街が違っても集まる。ナイジェリア、ガーナ、セネガル、ケニア、カメルーンはとても多いね。南アフリカ、ギニア、マリ、コンゴ、いろんな国のブラックがいるね。

――今日は歌舞伎町、明日は六本木と街を移動するキャッチはいますか。

イブラヒム　それはないね。六本木の人間は六本木。歌舞伎町の人間は歌舞伎町。でも歌舞伎町を辞めて六本木に行く人もいれば、六本木を辞めて歌舞伎町に行く人もいるよ。日によって変えてはいけないというルールはないけど、ひとつの街に絞ったほうが効率的ね。ただそれだけね。

――インターナショナルクラブで働く女性はフィリピン人、ロシア人が多いですね。

イブラヒム　そうだね。ブラックの女性が働いているケースは少ないね。もともと日本にいる女性たちが働きに来るね。インターナショナルクラブで働く日本人女性もいるよ。

インターナショナルクラブで働いたことがあるという日本人女性に会ったことがある。その店はぼったくりで稼いでおり、彼女はいつも店内ではなく店の前に立たされていたという。日本人女性がいる店ということで、日本人はもちろん外国人観光客も安心するためだ。

歌舞伎町の東通りで通行人にひたすら声をかける黒人たち

日給は一万円。ドリンクバックは別で、客が自分に頼んだドリンク代の二十～三十％が日給に上乗せされる。また捜査官は「インターナショナルクラブは英語ができるフィリピン人を使ってドリンクスパイキングをしていた」と言っていた。

イブラヒムのバーのオープニングパーティーに行ったとき、昔歌舞伎町で働いていたというフィリピン人女性たちが多くいた。彼女たちに「何の仕事をしていたのですか？」と尋ねると、皆バツが悪そうにしながらイブラヒムに助けを求めていた。

――彼女たちのリクルート方法は。

奥に「いらっしゃいませ」とだけ書かれた看板の店がある。中国人女性たちが体を売る違法置屋だった

イブラヒム　そんなものはとくにないよ。みんなその店に普段から遊びにきている子たち。その友達とか、キャッチの友達、経営者の友達。

　日本人は応募したり面接したり、スカウトを通したりするみたいだけど、そういうのいらなくない？　家を借りるときに払う敷金・礼金もそうだけど、日本はいらない慣習が多すぎるね。

　そして俺たちはみんなサバイバルだから。国は違ってもガイジンという点では一緒だから、その時点で仲間なの。「金に困っているなら友達の店で働きなよ」「うん、働く」。これだけでいいじゃん。

――インターナショナルクラブのキャッチは「女とセックスができる」と言ってくるけど、あれは本当？

イブラヒム　そのキャッチが連れて行く場所はインターナショナルクラブじゃない。中国人のマッサージ店ね。インターナショナルクラブの女性が客とセックスするのは、個人と個人の問題じゃない？　クラブの中でも売春はあるけど、個人と個人のやり取りね。中国人は大体、一万五千円とか。

マッサージの看板出しているところはいっぱいあるけど、ブラックは全部の店とは契約してない。一部だけ。

――ベテランの日本人キャッチは、「黒人の店は百％ぼったくりだ」と言っています。

イブラヒム　インターナショナルクラブがぼったくりの温床と言われているみたいだけど、歌舞伎町ではぼったくりというのは当たり前のようにあることでしょ。ホストでもキャバクラでもぼったくりはあるじゃん。インターナショナルクラブが一番ぼったくりが多いなんて証拠は何もないね。「ブラック＝悪」と印象つけたほうが、日本人のキャッチが有利になるだけでしょ。

――ぼったくりをするインターナショナルクラブとしないインターナショナルクラブを見分ける術はありますか。

イブラヒム　俺が普段遊びに行くインターナショナルクラブが、あなたにぼったくりをしないとは約束はできない。でも「俺の友達」という紹介で店に入ったなら、ぼったくりはされないよ。だって、そんなことしたら俺が怒るじゃん。この店が「ぼったくり店」というわけではなく、キャッチと客、キャッチと店の関係性でぼったくるかぼったくらないかが決まるね。

――そこは日本人のキャッチと同じですね。

イブラヒム　そう。だって同じ街じゃん。

――インターナショナルクラブがとくに悪い印象になっていることはどう思いますか。

イブラヒム　そういうイメージが浸透しちゃったからもう、しょうがないよね。来るところまで来てしまったから、もうイメージは戻らないと思う。

日本人でも楽しめるブラックの店はあるんだけど、一部のインターナショナルクラブのせいで全部が悪く見られているね。それは、自分の目で見て決めてほしいんだけど、日本という国では難しいことかもね。

――そうすると、真面目にやっている店とぼったくりをする店で対立が起きませんか。

イブラヒム　それはない。みんなサバイバルだからぼったくるのも仕方ないとわかっているね。ぼったくりをする店はそういう商売を選んでいるだけだから。

「お前らのせいで」とは俺たちはならない。そこは日本人との大きな差だと思うね。「お前のせいで」、そんな感じだね、日本は。俺たちは困った末にやっているんだから仕方ないと考えて受け入れるね。

――歌舞伎町の黒人が日本に来る目的は。

イブラヒム　本当はちゃんと働きたい人ばっかりだよ。俺の周りだと車を分解してパーツをアフリカに輸出する貿易（ヤード）をしている人が多いね。昔は、イラン人とかパキスタン人とかブラックも、日本で車を盗んで分解しちゃうことがあったけど、今はかなり厳しくなってるね。

実際はちゃんとした仕事がしたくても就けない人が多い。仮に日本人の奥さんがいても、日本語が話せないとなかなかちゃんとした仕事は見つからないね。

日本人は「アフリカ人」と一括りにして「なんで日本に来たの？」「どうやって日本に来たの？」と聞くけど、人によって色んなストーリーがあるでしょ。日本で生活していくうちに日本人と結婚して会社を作る人もいるし、もとから就労ビザの人もいるし。ナイジェリア人の俺だってアンゴラの人が日本にいたら同じ質問をするよ。アフリカは広いでしょ。アジアにもいっぱい国があるのと同じだよ。

――クラブでセキュリティーガードをしている黒人とキャッチの黒人は別ですか？

イブラヒム　まったく別。セキュリティーガードは店に雇われているからちゃんとした仕事。ブラックのキャッチたちもセキュリティーガードになれるならなりたいよ。でも狭き門だね。

キャッチ同士の間で摑み合いの口論が起きた。仲裁に入ったのは黒人だった

——歌舞伎町の黒人たちも本当は就労ビザを取ってちゃんと働きたいのですか。

イブラヒム　そう。ほとんどの人は普通に働きたいの。でも、もちろんそうじゃない人もいるよ。百%ということは何においてもありえないから。

生きていくためにやむを得ずサバイバルとして路上に立って

いるブラックもいる。でも悪いことしてでも大金を稼ぎたいというブラックもいる。たとえば、どちらも就労ビザを持っていたとしたら、やむを得ず路上にいる人はちゃんと働くでしょ。就労ビザが下りないから同じ場所にいるだけなのに、みんな一括りにして見られているよね。

――歌舞伎町の黒人にオーバーステイの人間はいますか。

イブラヒム　いっぱいいるわけではないね。昔はほぼフリーだったけど、かなり厳しくなったね。入管に入れられて仮放免になったら仕事をするのは本当に危険だし、銀行口座も持てないし、何もできないよ。でも、オーバーステイの人間ももちろんいる。ゼロってことはないから。だから、仮放免中の黒人が歌舞伎町にいることだってあるよ。

でも、難民申請をしているのか、特別活動なのか、仮放免なのか、そんなことお互いに言わないし聞かないよ。信頼関係があってお互いに助け合っている仲なら知っているだろうけど、これは本当に俺たちにとってはシークレット情報ね。

――難民申請中の黒人も歌舞伎町にいますか。

イブラヒム　うん、これは多いよ。特別活動の在留資格がもらえても、真面目に働くブラックもいれば歌舞伎町に来るブラックもいる。

たとえばどこかの工場で働いていても、その仕事が嫌で歌舞伎町に来るブラックもいる。どんなところにも悪いことをする人はいるんだから。サバイバルするしかなくやっている人もいれば、生活には困っていないけど麻薬売買をする人もいる。ケースバイケースだよ。

――彼らは就労目的で難民申請をする偽装難民では？

イブラヒム　そういう人は多いけど、その方法でしか日本に来れないんだから仕方ないじゃん。

――難民申請をしても在留資格がもらえずに仮放免になる場合もありますね。

イブラヒム　仮放免では仕事もできない、銀行口座も作れない、クレジットカードも作れない。どうしようもないから歌舞伎町に行くしかないでしょ。そういうときはもうサバイバルしかないでしょ。

不法就労の外国人＝犯罪者となってしまうけど、その前に本人の話を聞いたほうがいいよね。だって、人が自殺したときは自殺した意味があるじゃん。同じように不法就労をするにも意味があるんだよ。

入管も難民認定をしないのなら、出さなきゃいいじゃん。日本はこんなに物価が高いのに、何考えてるの。出たら生きていかなきゃいけないじゃん。それで働いたらその人が悪いんでしょ。それは国の問題だと思うよ。

仮放免中の外国人が日本の解体現場で働いているでしょ。そういう日本人がやりたがらない仕事、本当に彼らがやっていることが多いよ。でもその人たちがいなかったらどうするの。その人たちに日本は助けられているでしょ。その人たちのビザを厳しくしてどうするの。その人に五年の在留資格をあげて何が問題？

――イブラヒム以外の歌舞伎町の黒人も同じ意見ですか。

イブラヒム　ただ悪い奴もいるだろうけど、同じ考えの人は多いよ。アメリカ、イギリス、オーストラリア、フランス、みんな本当にクソ野郎。アフリカに乗り込んできて、資源だけ持って行って、母国で製品作って、そりゃ稼げるよ。資源がたくさんあるコンゴの状況を見てみてよ。さらには娯楽のためにアフリカに来て動物まで殺してるよ。

スポーツとして大型動物を殺すトロフィーハンティングは、アフリカのいくつもの国で大きな産業となっている。その一つは南アフリカだ。国内のライオンのうち野生は二千頭程度だが、人工的に飼育・繁殖されているものは約八千頭とされる。その多くが、欧米の金持ちたちに娯楽で殺されるために育てられる。手軽に楽しめるハンティングは近年になって人気が高まり、「戦利品」として頭部や剝製が輸出される数も急増している。

【娯楽で殺されるライオンたち】（「ニューズウィーク日本版」二〇一五年十二月七日）

イブラヒム　日本だって同じだよ。アフリカの資源で金を稼いでおきながら、アフリカ人を自分の国に入れようとしないでしょ。アジアの人たちはいっぱい労働者で来ているのに、アフリカの人は入れないでしょ。

理由はわかってるよ。自分たちの色（肌）がなくなってしまうのが怖いからだよ。そのためにも日本人がアフリカに行かないように印象操作してる。「アフリカは怖い」って。それは歌舞伎町を見てあなたもわかるでしょ？　アフリカが全部そんな国だなんて、日本人は時代をまったくわかっていないよ（※あくまでイブラヒム本人の意見である）。

しかし、私にも間違いなくアフリカという地域への偏見があった。会うまえのイブラヒムのことを「ナイジェリア人」「歌舞伎町の黒人」という記号で見ていたという自覚がある。そういった疑いを持つことは危機管理のうえでは必要になってくるかもしれないが、「店に行ったらイブラヒムにドリンクスパイキングされるかも」という想定はあまりにも考えすぎであった。

二〇二二年後半になると、コロナ禍による入国規制も大幅に緩和され、歌舞伎町には外国人観光客の姿が一気に増えた。黒人たちのぼったくり活動には追い風である。区役所通りを歩いていると、星座館ビルから白人の男が「ファック！」と叫びながら黒人ともみくちゃになって飛び出してきた。ぼったくりに遭ったのだろう。

いくらばかりか儲かった黒人は満足げに白人を見送ると、すぐに気持ちを切り替え「ブラザー、元気か？」と私に声をかけてきた。

ブラザーとは一切思わないが、「同じ街の住人」くらいには思えるようになった。

四章　雑草のように生きる風俗嬢たち

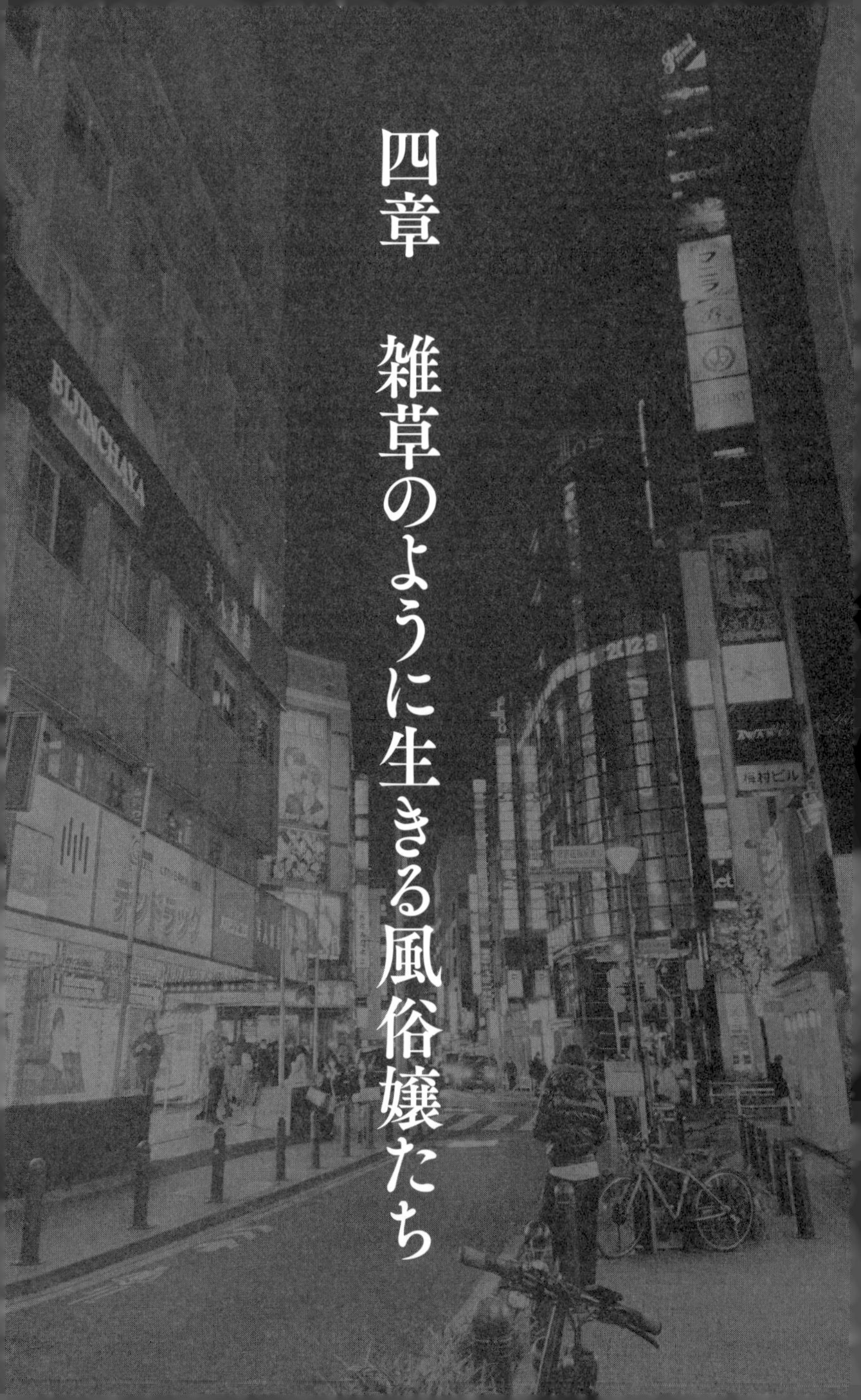

アベノミクスで生まれた高級デリヘル詐欺

キャバ嬢兼風俗嬢のアユは私と同級生の一九九二年生まれだ。十四歳から援助交際で金を稼ぎ始めたとあって密入国の中国人マフィアみたいな肝の据わり方をしている。

アユが風俗業界に飛び込んだのは二〇一二年のこと。市場はアベノミクスでポッと出の風俗の相場も知らない成金男たちであふれ返り、高級デリヘル詐欺グループがその層をカモにしていた。アユはその詐欺グループの稼ぎ頭として働いていた。

アユの詐欺グループはネット上では六店舗の高級デリヘルを経営していることになっている。しかし六店舗合わせて実際に在籍している女の子は三人のみで、ネットで拾った中国人の写真の胸から下の部分を使ったり、まったく関係のない女性の顔写真を掲載したりしていた。

客がいるホテルにまず男性スタッフが料金を受け取りに行き、その後に女の子がホテルに派遣されるというシステムだ。まったく違う顔の女の子が来たとしてもすでに金を払っているため、客もチェンジがしづらい。

六店舗の棲み分けは料金の差でできている。三万円、六万円、八万円、十万円、二十万円、三十万円といったように店舗ごとに料金を変えているが、稼働している女の子は前述したように三人だけだ。

さらに六万円の店に予約の電話がかかってきたとしても、「じつは今日はAV女優が出勤していて、今なら二十万円で案内しています」とふっかける。もちろん、どこの店に電話をしようとも、AV女優を選ぼうとも、やってくる女の子はアユをふくめた三人のうち誰かということになる。

「私たちのバック率は五十％。デリの相場を知らない金持ちが大量にいたので、二十万円や三十万円の案件もバンバン来るんです。ふっかければふっかけるだけ料金は吊り上がっていくので、一日で二本入って百三十万円もらうこともありました」

ただ、風俗嬢としてのアユに一本六十五万円の価値があるとは本人も思っていない。そのため客がどんなに不審な顔をしてきても動じない度胸が必要になってくる。

「君が売れっ子のグラビアアイドルなの？」

「うん、私だよ。今日はよろしくね」

「名前は？」

「え、それは言えないよ。だってメディアに出てるんだから言えるわけないじゃん。アユで勘弁してよ」

プレイが始まるまえには「騙された」ことに気づくわけだが、アユは眉毛すら微動だにしないため、客は何も言うことができない。基本的には一回きりの客がほとんどでリピートはされないが、客にはそうそうたるメンバーが並んでいた。

「医師会の金を横領している小児科医とか大阪のパチンコグループの御曹司もいました。IT系企業の役員は本当にバカばっかりでした。芸能人とかスポーツ選手も多かったです。海外で活躍していたサッカー日本代表とかも」

アユのグループは本気のふっかけ要員として本物のAV女優も囲っており、元ジャニーズの人物がリピーターになっていたそうだ。

そんな高級デリヘル詐欺生活を二年ほど続けたアユ。一撃百七十万円の客を引き当てたときは、セックスとは比べ物にならないほどの脳汁が放出された。

「五十代の物腰柔らかい社長なんですけど見た目によらずシャブ漬けで、もちろんキメセクのためにデリを呼ぶんです。はじめてその社長の相手をしたときは一緒に脱法ハーブを吸いました。でもあまり乗り気じゃないのが伝わったみたいですぐに帰されました。二回目は炙りでいいからシャブ吸ってみろとしつこいので、吸ったふりをしたらバレて帰されました。三回目も私がホテルに行ったんですが、もうゴリゴリにキマっているので、私の顔なんて覚えていないんですよね」

どうせ自分のことなんて記憶にないのだからやれるところまでやってしまうと腹を決めたアユは「一緒にシャブ吸ってあげるから今日は私を一日買い取って」と社長におねだり。一緒に近くのＡＴＭまで金を下ろしに行くと、通帳の残高を見せてくる社長。多すぎる「０」の数をアユは瞬時に数えられなかった。

「君はドＭなの？　ドＳなの？」

ホテルに戻るなり社長はアユに瞳孔を全開にしながらそう聞いた。

「うーん、ＳＭはやったことないからわからない。でもＳＭプレイは見てみたいかも！」

はしゃぐアユを見て「じゃあＳＭ嬢を呼んで３Ｐしちゃおう」と張り切る社長。数十分後、部屋のチャイムが鳴ったのでグラつく社長を置いてSM嬢と入れ替わるように部屋を出た。ホテルの前で待っていたSM嬢のドライバーに「この客ヤバいので女の子を助けに行ってください」と言い残し、アユは百七十万円の現金を持ってその場から逃走した。

しかし、この社長は置いておくとして客もバカではない。ちょっと考えればわかりそうな単純な手口にやっと気づき始め、アユの詐欺グループのような高級デリヘル店は淘汰されていった。

それにつられるように詐欺行為を行っていない高級デリヘルも衰退し、レベルの高い女の子たちが市場に放り出される事態に。プライドがないホス狂いの女が安い金で身体を売るようになり、デリヘルの価格はズルズルと下がっていった。

この価格崩壊にはスカウトも一役買っている。

「単価の高い店で働きたがるのは女の子としては当たり前だと思いますが、〝単価が高くても稼げなかったら意味ないじゃないですか〟と、スカウトはとにかく単価の安い店に連れて行きたがるんです」

スカウトの仕事は、より可愛い女の子をより安い店に入れることである。店も喜ぶし客も喜ぶ。何より可愛い女の子に薄利多売させることがスカウトの売り上げにもっとも貢献するからだ。

風俗業界に暗躍する中国人セックスブローカー

都内の高級デリヘルで働いていたアユのもとに、ある日、ひとりの中国人男性が客として訪れた。中国人観光客による「爆買い」が世間に定着した二〇一五年のことだ。

「日本に来た中国人観光客に、日本の女を派遣してる。デリヘルで働くよりもっとお金、稼げる。女の子を紹介してくれたら、あなたに紹介料払う」

高級デリヘル詐欺という食い扶持を失っていたアユは、迷うことなく中国人セックスブローカー一味に加わった。さらに、別の中国人にも声をかけられ、二つの中国人セックスブローカー一味を掛け持ちした。

二〇一三年の訪日中国人の数は約百三十万人。二〇一五年は一気に増えて、約五百万人。二〇十九年には一千万人近くにまで迫った。それだけ多くの中国人が日本に来ていれば、性を爆買いする男もいるに決まっている。

アユによれば、高級デリヘル・パパ活界隈の女たちにとって、この訪日中国人たちは大きな金脈となり、またその金脈を彼女たち自身が育て上げていったという。

「明日の二十時から二時間、リッツカールトン行けますか？」

と、中国人ブローカー（以下、ブローカー）から「WeChat」でメッセージが来る。自分が行く場合は八万円、別の女の子を紹介する場合は手取りの二十％、一万六千円がアユの取り分となる。「箱根一泊二日で三十万円」などの大型案件の場合、紹介料は十％に下がるが、泊まりの案件は団体客であることも多い。五対五の案件の場合、四人は紹介して自分も箱根に行ってしまえば、三十万円＋紹介料十二万円で、一晩で四十二万円もの稼ぎになる。

ブローカーとは案件ごとに毎回直接会うことになっている。その際に報酬を受け取り、ドライバーである別の中国人男性の運転でホテルへと向かう。紹介料のみの場合は、後日ブローカーのもとへ取りに行く。

客の支払いは「Alipay」「WeChatPay」などを使い、ブローカーとの間ですでに済んでいるため、その額を女の子が知ることはない。いくらブローカーに抜かれているかは検討がつかないというが、その点を差し引いても女の子にとってはオイシイ仕事である。

「中国人案件だけでいうと、片手間にやって最高で月に二百万円。紹介料だけでも少ないときで月に二十万円くらいもらえます」

しばらくしてアユは、プレイヤーではなく紹介だけに専念することにした。一度紹介した女の子がまた別の案件をこなしたときも、アユに紹介料が入る「永久バック制」であることが途中でわかったからだ。

アユは高級デリヘルで働く女の子だけに的を絞り、勧誘しまくった。それには理由がある。

「高級デリヘルって単価が高い（客の支払額が五万円以上）ぶん、お茶を引くことも多いんです。だからみんな、キャバクラやったりパパ活やったりしながら常にパパを探しているんです。むしろ、パパとの関係が切れたときに高級デリヘルなりキャバクラなりに出勤して、パパ狩りをしに行くイメージですね。歌舞伎町のキャバ嬢も、六本木のキャバ嬢も、西麻布のラウンジ嬢も、単価が高ければ身体を売ることに抵抗なんかないですよ。私みたいに、キャバクラと高級デリヘルを兼業している女の子って、めっちゃ多いんです」

それには、キャバクラのスカウトへの報酬が、「永久バック制」ではなく「買い取り制」

であることが影響している。

たとえば、百人近い女の子が在籍している大型店舗でも、常時出勤している稼ぎ頭はせいぜい三十人くらいである。店にとって残りの七十人は、繁忙期のための駒にすぎない。しかし、駒とはいえ時給は常に高水準をキープしている。アユが所属している歌舞伎町のキャバクラは、月に一度も出勤しなくても時給が六千円を切ることはない。

店はとにかく駒たちを甘やかし、繋ぎ留めておく。人手が必要な繁忙期になるたびに、スカウトから女の子を買い取っていたら採算が合わないからだ。

「閑散期の高級デリヘルは詐欺が通用しなくなってからは、予約が入ったらラッキーくらいの世界。そういうときはキャバクラ店の弱みにつけ込んで、時給泥棒をしに行くんです」

ホストの田口は「風俗嬢とキャバ嬢はメンタルが違う」と言っていたが、その両方をこなす高級デリヘル嬢もまた、違うメンタルを持っているようである。

リッツカールトンに高級デリヘル嬢を派遣し、箱根には団体を送り込む――。女の子に女の子を紹介させ、日本の風俗業界の背後に一大売春ネットワークを築き上げた中国人とは一体どんな人物なのか。直接顔を合わせているアユも、その素性は一部しか知らない。

アユの働いていた高級デリヘルに客として訪れた中国人セックスブローカーは、江戸川区・葛西に住み、日本人の妻がいる。「この仕事をするために日本に来た」と言っていたそうだ。

アユが加入するもうひとつの中国人セックスブローカー一味の長は、新宿にあるデリヘル店に男性スタッフとして働きながら、日本の風俗業界に忍び込んでいる。在籍する女の子たちを裏で一味に引き入れては店を辞め、風俗店を巡業しながらネットワークを築いているという。

しかし、このチャイニーズドリームを夢見た風俗嬢・パパ活嬢たちが中国人案件に殺到。中国人案件を餌に女の子を釣る日本人スカウトなども登場し、価格は崩壊した。後出の歌舞伎町の風俗嬢・真知子の場合、中国人案件は手取り八万円から二万円まで下落したという。

さらに、新型コロナウイルスの影響でこの中国人セックスブローカー一味は活動を休止せざるを得ない状況に陥った。そして風俗嬢たちの新たなシノギは客を店に呼ばず、個人的に会って身体を売る「裏引き」へと変わっていった。多くの風俗嬢たちが、「パパ活」と口で言いながら、裏引きでシノギを削っている。

「日本人のほうがよっぽど下品」

この中国人ブローカーは「海外出稼ぎ案件」も取り扱っていた。海外出稼ぎは期間も長く単価も高いため、紹介料も莫大なものになる。

上海のコールガール、フィリピン・シンガポールのカジノ客相手の売春が主な案件だったというが、上海もフィリピンもシンガポールも観光ビザでの入国なので、もちろん不法就労である。

リゾートバイトでハワイ（観光ビザで九十日以内の滞在が可能）を訪れたキャバ嬢が、二か月も三か月も現地のキャバクラで不法就労した結果、途中でバレるという事例が多発しているように、女性が1人で海外に何か月もいればさすがに怪しまれる。

実際、アユの周りにはテロリストの彼氏がいるわけでもないのに、アメリカから入国拒否されているキャバ嬢が何人もいるという。そのため、海外出稼ぎ案件は二週間〜一か月が一般的だ。

日本人スカウトで、この海外出稼ぎ案件を扱っているところはかなり限られている。そもそも、歌舞伎町にいるようなスカウトを信用して海外に飛ぼうなどという発想にはならないからだ。

上海は、客ひとりあたりの女の子の手取りは日本と同じく二時間のショートで八万円。上海に一か月滞在したアユの友人は三百万円稼いで帰国した。その子は別ルートの紹介であったというが、紹介者は何もせずとも三十万円ものバックをもらえる。

フィリピンの案件は、カジノに来た日本人や中国人が宿泊している部屋でプレイをする。単に性欲発散という目的もあるが、ギャンブルで負けが続いたときにセックスで運を変えるという需要もあるらしい。

シンガポールは単価が半分以下に下がり、手取りで二～三万円。先進国であるがゆえに現地人も客層に入っているため、価格が均衡を保ってしまっているのだ。逆に途上国のフィリピンは、客は海外から来た富裕層のみになるため、こちらも二時間のショートで八万円が相場である。

シンガポールへ実際に出稼ぎに行った風俗嬢によれば、おそらく現地の業者が用意したであろうマリーナベイイサンズの部屋で生活しながら、部屋に訪れる客たちの相手をしていたという。現地人も客層に含まれているということで、客は部屋がなくても利用できるようにしているのだと思われる。

と、ここまでがコロナ禍前までの海外出稼ぎ風俗事情だ。「行ってみないことにはわからない」という不透明さもあり、ツテをもった一部の勇気あるキャバ嬢や風俗嬢のみが手を出せる裏バイト的な立ち位置だった。

また、国内では身バレを避けたいキラキラ系インスタグラマーなどの稼ぎ口にもなっていた。「今日はシンガポールのマリーナベイサンズでディナーだよ」などといった投稿をしながら自由を謳歌していると思いきや、裏ではただのコールガールとして働いているのだ。

それもコロナ禍で日本を出ることがほぼできなくなった二〇二〇年にはパタリと案件がなくなったわけであるが、世界各国が観光客を受け入れはじめた途端に海外出稼ぎ案件は裏バイトから表の仕事へと変わっていく。それには三つの理由があった。

まずは中国のゼロコロナ政策である。富裕層の中国人観光客が日本に戻っていれば、再び中国人案件が活発になったはずだが、女目当てのエロ中国人などひとりもやってこないため、案件が復活しなかったのだ。

二つ目は「風俗嬢たちのクソみたいな承認欲求のおかげです」とアユが話す。

「風俗嬢たちは『売り上げをのばすため』とかいいながらTwitterをやっているんですが、ほとんどが承認欲求のためにやっているだけです。『整形なんてする必要ないよ〜』とか『そんなに食べてるのになんで痩せてるの？』とかリプで言われながら、客に連れて行かれた高級レストランの写真をアップしたいだけなんです。その中で海外出稼ぎに行った子が海外のホテル暮らしの様子をいい感じにアップしたり、『こんなに稼げた』って札束をアップしたりしはじめたら、一気に希望者が増えたというかんじです」

アユに教えられた海外出稼ぎ風俗嬢のTwitterアカウントを見てみると、プロフィール文には八カ国の国旗の絵文字が並んでいた。いままで出稼ぎで訪れた国を誇示しているのだ。シンガポール、香港、マカオ、台湾、ドバイ、ニューヨーク、ロサンゼルス、シドニーあたりがメジャーな出稼ぎ先だという。

そうして稼げるという噂がTwitter上で出回り、女の子が女の子を紹介する形で風俗嬢の間で広まっていった。すると、すぐさまスカウトたちが介入するようになったのだが、これが三つ目の理由である。スカウトが海外出稼ぎ案件を扱うと国内よりも儲かるので、一人でも多くの風俗嬢を海外へ送り込もうと躍起になったのだ。コロナ禍以降、海外出稼ぎ案件を手がけているスカウトの男に聞いた。

「国内の場合、風俗店が売り上げから女の子への給料とスカウトへのバックを振り分けるんだけど、海外の場合は基本的に帰国後、スカウトから女の子に給料を渡すんだよね。店とスカウトの間にはだいたい二社くらい仲介業者が入っているから金抜かれるんだけど、つまり日本にいるスカウトも女の子に渡す前に金を抜けるんだ」

日本の風俗嬢たちがこぞって海外へ出稼ぎにいった結果、日本人女性の希少価値は急落。圧倒的に供給が需要を上回り、スカウトたちは仲介業者にかけあって海外に風俗嬢を売り込むような状態となった。

女の子の手取りもどこの国でもほぼ一律で六十分二万円までに下がり、鬼畜なスカウトに当たった場合は一万二千円あればいいほうとなった。シンガポールに行ってもマリーナベイサンズで過ごすことはできず、ゲイランにある「アジア人専門」の売春宿で田舎から出てきた中国人たちと一緒に身体を売るしかない。ほかの国でもチャイナタウンの隅にある中国人ママ経営の売春宿で、「アジア人」として在籍することになる。

コロナ禍前までは日本人女性といえば「外国人がわざわざ抱きに来る」ような存在であったが、いまは「日本人と中国人なら日本人のほうがＡＶっぽいことできそう」くらいの感覚でしかない。

ならば海外など行かずに吉原や川崎のソープランドで働いたほうがマシなのではと思ってしまうが、それでもまだまだ海外出稼ぎ案件はオイシイ仕事なのだという。

「日本の男は六十分コースなら六十分ギリギリまでネチネチ楽しもうとするじゃないですか。でも海外だと六十分コースといいつつ射精したら十分かそこらですぐ帰るんですよ。だから手取りとしては二時間で手取り四万円の高級ソープとそこまで変わらないうえにお茶を引くことがありません。ニューヨークのチャイナタウンで今年（二〇二二年）働いてた子はスカウトにだいぶ抜かれたみたいですが一か月で五百万円もらっていました」

最終的にもらえるお金が思っていた額よりも少ないかもしれないという不安はあるが、客とは言葉も通じないので会話もしなくていいからラクなのだという。二週間の仕事なのでリピーターを付けようと頑張る必要もない。

「それと日本の男はすぐに『ナマでやろう』って言ってくるじゃないですか。風俗嬢もチップもらってナマでやっちゃうんだから、梅毒が流行るのも当たりまえですよ。海外の客は自分から必ずコンドームを着けますからね」

海外出稼ぎから帰ってきた女の子はみんな、「日本人のほうがよっぽど下品だよ～」と口をそろえて言うらしい。

性病検査の代打

風俗嬢の出費はシャンパンタワー代と担当ホストへのプレゼント代だけではない。性病検査代、接客時に使う備品代は基本的に風俗嬢持ちである（中には負担する店もある）。女性が男性客に対して身体を売るためにかかるコストを店側が出してしまうと、警察からすれば「それ、管理売春しているよね」ということになってしまう。たとえ店が出したとしても経費としてはもちろん計上できない。「だから自分たちで出してくれ」というスタンスなのである。

以下は、スカウトからアユに送られてきた風俗案件の条件である（一部改）。

■営業時間…十五時～翌五時
■業種…高級デリヘル
■ホテルと自宅の割合…六：四　※自宅NGでも可能ですが稼ぎにくいです
■採用基準…コンセプト　綺麗、巨乳、AV女優
　年齢　十九～三十歳くらいまで
　外国人の採用　応相談
■キズ、タトゥー、妊娠線…応相談
■身分証…基本は顔付き必須
■女の子の手取り
○Bクラス…六十分　二万円
　七十五分　二万三千円
　九十分　二万七千五百円

百二十分　三万五千円

○Aクラス…七十五分　四万円

九十分　五万円

百二十分　六万円

○本指名…五千円

■生理時…海綿つめての出勤はOK

■稼ぎやすい時間帯…二十～三時くらい

■保証…なし

■待機場所…漫喫待機　無料（赤坂見附）

自宅待機　渋谷、新宿、赤坂駅から十分くらいの距離ならOK

■送り…なし

■講習…なし

■撮影、宣材…無料

■性病検査…任意

■掛け持ち…可能

性病検査が「任意」となっている。これは珍しいパターンなのかアユに聞いてみる。

「こんな感じでスカウトからいつも案件が送られてくるんですけど、性病検査は裏では任意のところがほとんどですね。私なんか別にうつしてもいいかなって思ってますけど。私みたいな子は検査必須の店でもしないけど、それでも在籍できちゃう店ばっかりですし」

それは必須ではなく任意と言うのではないのか。

さらに、たとえ性病検査で陰性だった風俗嬢でも、その全員が陰性ではないとアユ。

「新宿駅東口に風俗嬢御用達のクリニックがあって、そこは店名と源氏名だけで性病検査ができるんです。まだ親の扶養に入ってるとか保険証を使えない事情がある風俗嬢が多いんです。風俗で働いてることがバレちゃうから」

調べてみると、同じシステムを採用している病院がいくつかあった。もちろん親バレを危惧して性病の症状に悩む風俗嬢が病気をうやむやにしないために考えられたものであり、蔓延防止の観点からも理にかなったシステムである。

「定期的に性病検査の結果を提出しなきゃいけない店もあります。股間がかゆくてかゆくて仕方ないけど、売掛が残っているとかで出勤しないとマジで詰むって状況だったら、ほかの健康そうな女の子に〝代打〟で検査に行ってもらうんです。〝この店のこの源氏名、前に来た子と違うな〟と仮に病院が思っても所詮源氏名ですから。私が今の店を辞めても、また別の子がアユと名乗る可能性はいくらでもありますし」

横浜ベイスターズ元監督のラミレスによる作戦「代打・ウィーランド（投手）」に並ぶ奇策である。

性病検査代のほかに風俗嬢の出費となる備品は、主にコンドームと膣ローションと海綿である。アユは副業でメーカーから膣ローションと海綿を仕入れ、自分でネットショップを開いて売り捌いているという。とうとうアユは風俗嬢なのか女衒《ぜげん》なのか私はわからなくなってきた。アユは膣用ローションについてキラキラした目で語り始めた。

「膣ローション市場は〝ウエトラ（ウェットトラストプロ）〟一強状態なので、自分のショップでウエトラを売ってもほとんど売れないんですよ。わざわざ私のサイトに来なくても風俗嬢ならみんなウエトラを知っているので。だから私はあえてウエトラではなく二番目に有名

風俗嬢御用達のドラッグストア「テンドラッグ」

なメーカーの膣用ローションを売っているんです」

　ウエトラは注射器型の容器に膣用のローションが仕込まれたものだ。通常のローションよりも粘度が低く、膣の奥のほうに注入することで奥からジワ～っと本当に濡れてきたように客を錯覚させることができる。注入部分の丈の長さ、滑らかな流線を描いたフォルムなど絶妙なデザインが施されているようで、ホームページを見ると特許まで取得していた。

　百二十本入りで一万二千円ほどするウエトラ。客ひとりにつき一本使うため、あっという間にすべて使い切ってしまうのだが、場合によっては客ひとりにつき二本、三本使うこともある。

「店のプロフィールに〝濡れやすい〟と書いてあればウエトラ二本。〝濡れすぎて困っちゃう〟と書いてあればウエトラ三本。そんなもんですね。風俗嬢グッズは、繁華街であれば薬局にも売っていることがあります。歌舞伎町だと、みすず薬局と風林会館にあるテンドラッグ。テンドラッグの奥にいる女は、ほぼ間違いなく風俗嬢だと思って頂いて大丈夫です」

吉原にはおじいちゃんが切り盛りしている薬局がある。電話で注文すると業務用コンドームを自転車のカゴに入れたおじいちゃんがソープランドまで届けに来るらしい。

前述した条件一覧にもあるが、風俗嬢は生理時でも海綿を詰めて接客する。だが海綿はちょっと割高なので、「ROSY ROSA」の化粧用スポンジでみんな代用しているという。

「ROSY ROSAのスポンジは本来アソコに入れるものではないので、奥に入って詰まっちゃうときがあるんです。そういうときは爪で掻き出すしかありません。取らずに放置しておくとすごく臭くなるので」

生々しすぎる。歌舞伎町に移り住んだ当初は街を歩く風俗嬢と思しき女の子たちを見て、「あんな可愛い子がラブホテルに……！」などと心躍らせていたが、いまではそんな感情をひとつも抱かない冷めた男に私はなってしまった。

スカウトが開催する「ホス狂いグラチャン大会」

ホスト業界において「エース」とは、ホストから見て自分に一番金を使ってくれる客を指す専門用語である。当然、ホストはエースの女の子をもっとも大切に扱うため、ホス狂いたちは競い合いながらエースを目指す。

歌舞伎町には実に約二百店舗のホストクラブがある。各店舗の人気ホストたちそれぞれにエースがいるのだから、歌舞伎町には肩の温まったエースが何人もいることになる。そのエースたちが一堂に集まる「A」というソープランドグループがある。

パ・リーグで考えるならば、山本、千賀、髙橋光成、則本、佐々木朗希、上沢が一球団に集結しているようなものだ。球団の経営をかなり圧迫しそうではあるが、打者が小粒揃いだとしてもリーグ優勝間違いなしだ。

Aは川崎・千葉・大宮に店舗を持つ。大宮の店舗は激安を売りにしており、ホス狂いが集合しているのは川崎と千葉にあるソープランドだ。歌舞伎町でエースを張っている友人に「めっちゃ稼げるから一緒に行こーよー」と誘われ、アユもAのソープランドに在籍していたことがあった。

「歌舞伎町からだと川崎ってアクセスがかなりいいので、ホス狂いには川崎は人気なんです。千葉の店舗に行くときはみんな特急しおさいを使いがちです」

特急しおさいは東京─銚子を時速百三十キロで走り抜ける。本数は二～三時間に一本。わざわざ東京から千葉に向かうため、同店のソープ嬢たちは朝イチから出勤してガッツリ稼ぐ傾向にある。そのため、朝の特急しおさいの車内におけるホス狂い率はすこぶる高い。特急しおさいは男たちにひとときの夢を運ぶ列車なのである。

Aにホス狂いが集まる所以はホストの田口が言っていた「スカウトとホストの結託」にある。アユが話す。

「店にいるエースたちと話してたら、ホストと強いパイプで繋がっているスカウトグループがあることに気がついたんです」

そのスカウトグループはホストたちからホス狂いたちの情報をもらい、スカウトは彼女たちを意図的にAに入店させる。放っておいても鬼出勤するホス狂いたちを一か所に集めることでA内での競争が激化し、女の子の単価は下がる。しかし客も集まれば薄利多売でも稼げるため、ホス狂いが店を辞めることはない。

そして噂が噂を呼び、アユの友人のようにホス狂いが勝手に集まってくる。スカウトグループは金が生まれる装置をAを舞台にホストとホス狂いを使って作り上げたのだ。

深夜、歌舞伎町の路上で泣き崩れるホス狂いと気を失うホス狂い

「私はAの待機室を〝ホス狂いグラチャン大会〟って呼んでます。ただでさえ風俗の待機室はトラブルが多いんですから、グラチャン大会はもっとすごい。ホス狂い同士のマウントの取り合いでかなり殺伐としてます

よ」

Ａの場合、店で稼いだ額＝ホストで使う額であるため、店の中では稼ぐ者だけが正義である。これはゆるぎない。

またエースが集まるとはいえ、中にはまだ〝エース級〟止まりの女の子もいる。ホス狂いが待機室に集まればもちろん話題はホスト一択であるわけだが、稀に「ちょっと待って、アンタの担当ホスト、○○くんだよね？」と担当ホストが被る事態も発生し、その担当ホストも巻き込まれる形で修羅場に突入する。

Ａで仲良くなったアユの別の友人は月に三百万円を担当ホストに貢ぎ、売掛も二千万円あるという。頻繁に待機室で発狂していたものの、彼女はいまでも元気にＡで働いているというが、額が額だけにそうはいかない子も当然出てくる。

Ａに所属していた二十歳のあるホス狂いが、担当ホストを水揚げ（店を辞めさせてホストを経済的に養うこと）した。しかしそのホス狂いは過去に二千万円近いシャンパンタワーを注文しており、千五百万円が売掛になっていた。さらにほかの売掛も積み重なっており、手に負えない状況になっていた。

自殺の名所だった第６トーアビル

売掛が払えなければ担当ホストの責任になる。つまり二人は支払いをはねて駆け落ちしていたということになる。まもなくAにホストクラブの人間たちが押し入り、彼女は連れていかれてしまった。

三か月後、そのホス狂いは東新宿のマンションから飛び降りた。

歌舞伎町には飛び降り自殺が多発しているビルがいくつかある。その代表格が第6トーアビルだ。屋上に上がれるビルか否かがポイントになるわけだが、第6トーアビル（現在、屋上は封鎖）のように、ホストクラブが複数入居しているビルで自殺は多発するとアユは言う。

「恋のもつれでも金でも自殺の原因は担当ホストへの気持ちの強さであることに変わりはないので、死ぬなら担当ホストが働いているビルでって考える子は多いです」

たしかにその場合、担当ホストはその女の子のことを一生忘れることはないだろう。

中国人ＡＶオタクとインバウンド風俗の熾烈な戦い

「私、チンポだけで英語話せるようになったんです。本当に、客との会話だけで」

歌舞伎町の風俗嬢・真知子は、インバウンド専門のデリヘルに在籍しながらアユが話していたような海外出稼ぎ案件もこなしたことで、非常に流暢な英語を話すようになった。英語は実践が一番という理論をこの上なく体現したわけであるが、語学力に対する代償はあまりにも大きかった。

真知子の店は女の子のランクによって価格が変わる。容姿も影響するが十代またはＡＶ出演歴がある女の子はランクが高くなる。真知子は十代でもなければＡＶにも出演したことがないため、店ではもっとも下のランクに位置づけられていた。

真知子が相手をするのはもっぱらイスラム系・インド系の客だった。ランクの高い女の子たちが彼らの接客を拒否するため、強制的にランクの低い女の子が担当することになるのだ。

文化の違いなのか真知子の体感としては〝もれなく〟イスラム系・インド系の客は女性を乱暴に扱った。

「あの人たちは股開いてくれればそれでいいって感じなので楽なときは楽なのですが、お金を持っている人ほど鬼畜になる傾向がありました。女性の体位を変えるときって普通は腰とかに腕を回すじゃないですか。あの人たちは私の頭を鷲掴みにしてバスケットボールをドリブルするみたいに振り回すんです」

対面したときは映画さながらのジェントルマンのような態度なのに、プレイになると豹変するからまた怖い。水を溜めた湯船に鷲掴みにした真知子の頭を叩き込み、耳元で「my sweet honey」とささやくのだ。

「あの人たちにとってはそれが愛情表現なんですよね。女はそういう風に扱うものだと思っているし、それで喜ぶと素で思っています。高級ホテルで指名が入ると少しばかり嬉しい気持ちになるんですが、客の名前を見て明らかにイスラム系・インド系だと一回心を無にしないと部屋に入れませんでした」

訪日中国人の数が一気に増え出した二〇一五年以降、身勝手な中国人観光客と風俗嬢のトラブルは多く報じられたが、「イスラム系・インド系に比べたら中国人はとても紳士でした」と真知子は言う。

それよりも中国人に関して真知子が驚愕したのは、彼らの「AV女優」に対する並々ならぬ執念であった。日本のAV女優とセックスすることは中国人男性にとっては命を懸けてでもつかみ取りたいステータスとなっているのだ。

AV女優や風俗嬢を中国人観光客に斡旋するブローカーがいることはアユも話していたことであり、その実態を報じている例もある。風俗嬢を撮影した動画を違法アダルトサイトにアップすることでAV女優として仕立て上げている例もあるそうだ。

さらに真知子によると、AVのパッケージだけを作り、それを中国人観光客に見せることで本物のAV女優だと思い込ませる手法もある。しかし目が肥えてきた中国人エロ親父たちは本物のAV女優を抱くために必死だ。

「本当にそのAV女優が存在するのか調べるためにFANZAに登録して毎日チェックして

いるような人もいました。メーカーにも相当詳しくて、〝俺はカリビアンコムに出演している AV女優しか抱かないんだ〟って言う人もいたくらいです」

また真知子が在籍しているインバウンド専門のデリヘルでは、本物のAV女優を抱くための準備段階としてAVに出演していない彼女のような女の子をまず指名する客がいる。

「私は本物のAV女優とセックスするためにまず君を指名した。さて、誰が本物で誰が偽物か教えてくれないか」（中国人エロ親父）

彼らは、柚木ティナがRioに改名したことも、AV女優は事務所を移籍すると名前が変わることも知っている。

「このAV女優の作品は最近出ていないが、いまは何という名前で活動しているのか」

「この店に在籍しているこの女の作品を、いまこの場で検索して俺に見せてみろ」

「このAV女優は、いま本当に待機室にいるか？　昨日は？　一昨日は？」（いずれも中国人エロ親父）

そんな質問に真知子が答える義務などひとつもないのだが、中国人エロ親父のあまりにも必死すぎる眼差しに圧倒され、思わず答えてしまうのだという。

客の家で赤子を産んだハイジア嬢

花道通り沿いにそびえ立つビル「ハイジア」。オフィス、スポーツクラブ、ネットカフェなどが入居しており、なぜか釣具屋の「上州屋」も入っている。歌舞伎町の住人にとってはあまり用のない場所であるが、「ハイジア」という名前だけは売れに売れている。

ハイジアの周りには立ちんぼが毎日何人もいて、「ハイジア嬢」という名称でおなじみの売春スポットになっているからだ。

新型コロナウイルスの影響で外国人の立ちんぼはほとんど見られなくなったが、彼女たちは「アパホテル新宿歌舞伎町タワー」などに宿泊しながらシネシティ広場またはハイジアのとなりを走る「一番通り」で声をかけることが多い。本人たちに聞くと、日本、韓国、シンガポール、香港など世界各地を、観光ビザで渡り鳥のように飛び回りながら身体を売っているという。

二〇一九年の夏のことだっただろうか。一番通りに身長百七十五センチほどのガッチリした外国人女性が連日立っているのが気になった。話しかけてみるとオーストラリア人だというが、どう見ても男である。

東南アジアではニューハーフについている男性器のことを「スネーク」と表現することが多い。はたしてオーストラリア人にもそれは通じるのだろうか。

「あなたにはスネークがついていますか？」

「ついていないわ。私は女だもの」

通じた。私の目線がその盛り上がった股間に釘付けになっていたからかもしれないが。

「大丈夫、気にするなよ。俺はむしろスネークがあったほうが嬉しいんだ」

オーストラリア人は「あらやだ」という顔で私の腕を掴んできた。ムエタイ選手の首相撲に捕まったかのようにガチッと固定されてしまった。

オーストラリア人は「私のスネークは二十二センチもあるのよ」と言う。いくらなんでもデカすぎるのではないか。顎が外れそうだし肛門も裂けそうである。

一方、日本人の立ちんぼはハイジアの裏にある大久保公園を取り囲むように散らばっている。とくに北側のガードレールには多いときで十人近くの女性が立っている。彼女たち

ハイジアビル付近で体を売る外国人娼婦たち。二〇一九年の夏に撮影

は、近くのアパホテルに泊まっていることもあれば、漫画喫茶やサウナ（レディース510）で寝泊まりしていることもある。

私は週に三回はこの道を通るようにしているが、彼女たちよりも目立つのが大久保公園の周りをうろつく買春親父たちである。一時間も二時間も大久保公園の周りをグルグルと何周もしながら女性を物色し、たまに声をかけては近くのラブホテルへと消えてゆく。

彼らの一部にはネット掲示板で有名になり、あだ名をつけられている者もいる。たとえば、マジで一日も欠かさず毎日ハイジア裏に来ては女性を物色していた「ホウセイ」という男。本人かと見間違うくらいに落語家の月亭方正（山崎邦正）に似ているらしい。

「ギャラクシー」（使っているスマホがギャラクシーだった）と呼ばれた男は、現在はハイジア裏から身を引いたというが、コロナ前まではホウセイをしのぐほど病的なまでにハイジア裏に通い詰めていた。

ギャラクシーはいままで数え切れないほどのハイジア嬢と交わった。一日に三人のハイジア嬢を買ったこともある。ギャラクシーはほかの買春親父たちよりも頭ひとつ飛び抜けている。見るからにヤバそうなハイジア嬢でも躊躇なく買ってしまうのだ。

西武新宿駅北口にいた、「三日間一睡もしていない」という女の子を買ったときのことだ。

「三日も寝てないならさ、俺といまからホテルで休もうよ」

「えー」

「歌舞伎町で普段何してるのさ？」

「おっぱぶで働いてる」

ハイジア裏にある格安ホテルに入るとすぐに「ちょっと薬を飲む」といくつかの錠剤を口に投げ入れ、丸飲みした彼女。するとタコのように踊り出した末に白目を剥いてピクリとも動かなくなった。

　誰がどう見ても援助交際なので救急車を呼ぶべきかかなり悩んだギャラクシー。「これは本当に死ぬのでは」と焦ったというがしばらくして目を覚ました。彼女はなぜ自分が見知らぬギャラクシーとホテルにいるのかもわかっていない様子だ。

「死ぬところだったみたい。助けてくれてありがとう。何も覚えていないけど」

「じゃあ、ヤラせてよ……」

　なんとこの後正気に戻ってセックスをしたギャラクシーと彼女。両者ともに頭のネジが二つは外れているとしか思えない。てんかん持ちの彼女は三日間抗てんかん薬を飲むのを忘れており、そのぶんまとめて一気に飲んだ反動で気を失ってしまったのだ。

　歌舞伎町にいる風俗嬢がホストに狂っていれば、ハイジア嬢もまたホストに狂っている。ギャラクシーはハイジア裏のラブホテルの前で泣きながらうずくまっている女の子に声をかけた。もちろん目的はセックスである。

「ねえ、どうしたのさ」

「ウワアァァ！」

カッターナイフで切り付けられた花道通りにあるホストクラブの広告

彼女は突然叫び出し、ローソンのシールが貼ってあるついさっき買ったであろうカッターナイフで手首をズタズタに切り刻み始めた。

「や、やめろよ……」

カッターナイフを持ったままギャラクシーに抱きつき、泣き続ける。ギャラクシーは彼女をなだめながらそっとカッターナイフを受け取った。担当ホストとアフターの約束をしていたがいくら待っても連絡が来ず、ほかの女とセックスをしている様子が頭をよぎって発狂してしまったのだ。

しかし、担当ホストからＬＩＮＥが来ると彼女は爛々とした目で「彼氏から連絡来た！　ごめん、行くね！　ありがとう！　じゃーね！」と、手首から血を流したまま走り去って行ったのであった。ギャラクシーは返り血を浴び、カッターナイフを手に握ったままである。

ハイジア依存症だったギャラクシーは当時、ある程度固定メンバー化されているハイジア嬢たちをほぼコンプリートしていた。むしろ新しくハイジア嬢になる女の子たちをギャラクシーがハイジア裏で待ち構えるといった状況になっていた。

ある日、ギャラクシーがハイジア裏を訪れると、昔買ったハイジア嬢がお腹をパンパンに膨らませてガードレールに寄りかかっていた。担当ホストとの子どもだという。

「おい、赤子が腹にいるのにこんなところで身体売るのかよ」

「しょうがないじゃん、だって住む場所もないんだから」

この日から彼女はギャラクシーの家に居候することになり、お腹を膨らませながらもギャラクシーに身体を許した。

それからわずか三日後のことだった。別のハイジア嬢から「ご飯食べよー」と呼び出され、歌舞伎町で夕飯を食べていると、家にいる彼女から電話がかかってきた。

「お腹痛い！　産まれる！」

放っておけば自分の家でハイジア嬢が赤ん坊を産むことになる。今度は迷うことなく救急車を呼び、自宅へ飛んで帰った。家に着くとすぐに五人の救急隊員が担架を持ってやってきた。男性の救急隊員は搬送の準備をし、女性の救急隊員はギャラクシーに状況を聞く。

「ご主人様ですよね？　どこの病院に通われていますか？」

「いやいや、ただの知り合いだから……」

「知り合い？　どういうことですか!?」

「本当にただの知り合いで……」

まさか「ハイジア仲間です」とも「ちょっと路上で」とも言えるわけもない。

「あなた、病院は行っているんだよね？」

「一回も行っていないです」（ハイジア嬢）

嵐のように彼女は救急搬送され、その二時間後に無事赤子を出産したという。翌日ギャラクシーは股間に痛みを覚え病院で検査をすると淋病に感染していた。昨日出産したハイジア嬢にうつされたのは明らかだった。

つまり臨月の状態でありながら、病院にも行かずに身体を売っていたというわけだ。そろそろ小学生になるその子どもは元気にやっているだろうか。

こぼれものをさらう、ゲイのラブホテル清掃員

ホスト、スカウト、風俗嬢。夜の歌舞伎町において彼らは密接な利害関係にあり、そしてお互いがお互いの精気を奪い合っているように感じる。しかしそのいびつな関係に加わることなく彼らのこぼれ汁をすすっているひとりの男がいる。

ゲイのラブホテル清掃員・ゴーグルマン氏である。ゴーグルマン氏はとにかくエロいことが好きで好きで仕方なく、常にエロい雰囲気のある空間にいたいという理由から現在の仕事に就いている。

ゴーグルマン氏の幸せは、客室に残された「エロい残り香」を自分の家に持ち帰ることである。電マ、ローター、コスプレ、ペニバン、使用済みであっても何でもくすねてしまう。というよりむしろ使用済みだからこそ「アガる」のだという。

「あたしが一番アガるのはぁ、ドンキの袋が部屋に置いたままになっているとき。大きいサイズで結んだままのものがあるとさらにドキドキしちゃうのぉ。中に何が入っているか楽しみなのよん」

あるときは巫女のコスプレ、またあるときはシスターのコスプレ。清い存在を犯すことに必死になっているノンケの男を想像すると鳥肌が立つほど興奮するそうだ。

しかし、ゴーグルマン氏はほかの清掃員にはこの変態な一面を見せていない。持って帰るところを見られて「あの人、自分で使うんだ」と思われるのが嫌らしい。

そのため、いつ誰が部屋に入ってくるかわからないこともあり、ドンキの袋は開封後に少しだけ中を見て楽しんだ後はすぐに結び直して自分のロッカーに隠しておく。家に帰ってからのそんな楽しみを日々の活力にしているのだという。

ほかの清掃員が使用済みグッズやドンキの袋を回収してきたときは内心開封したくて仕方がないわけだが、「ええ〜、キモいんですけど〜！　ヤバ〜！」と引いた顔をする。そして、「あたし捨てておきますぅ」などと言いながら、自分のロッカーへしまい込んでしまう。

それにしても、袋の中に人糞が入っていたらどうしようとかこの人は考えないのだろうか。

というかそんなものを持ち帰ってどうするんだろうか。やっぱり自分で使うんじゃないのか。

「私はどんな風に使われたのか想像するだけなのぉ。溜まっていく一方だから、ある程度楽しんだら人にあげてるわよぉ」

「ちゃんとアルコール消毒してからあげてるんだからぁ」とは言うが、それをもらう人がいることにも驚きである。使用済みの乳首クリップを喜んで受け取るようなゲイの友人がゴーグルマン氏の周りには数多くいるそうだ。

とくに彼らに人気なのがノンケの使用済みコンドームとテンガ。こちらに関してはゴーグルマン氏、なんと金を取って売っているという。部屋のゴミ箱にある使用済みコンドームやテンガを回収し、自宅の冷凍庫に保管しているのである。

ネット販売でも始めてみようかとも考えたが、その場合クール便を使わなければならず、送料が高くなるので断念した。

「クローゼットにはセーラームーンの衣装とキャットスーツ、本棚にはローター、冷凍庫には使用済みのコンドームとテンガが入ってるでしょぉ。ほかにも色々あるんだけど。だからガサが入ったとき本当に大変だったんだからぁ」

私はこの日ゴーグルマン氏から、「自宅に刑事のガサが入った」と連絡を受け、その顛末を聞くために会っていた。ガサが入った理由についてはゴーグルマン氏の名誉を考慮してここでは伏せることにする。

ガサに入った刑事二人はすでに部屋の異様な雰囲気に顔をしかめていた。当然、冷凍庫も開けて中を調べることになる。

「どうしてテンガとコンドーム？　普通凍らせないよね？」

「と、とりあえず冷やしておきましたぁ」

百歩譲ってテンガを凍らせると気持ちいいかもしれないというのはわかるが、五十代なかばの男性の部屋にある凍った使用済みコンドームを見て刑事は何を思ったのだろうか。

そのガサ入れで恥をかいたことを機に部屋に積み上げられた使用済みエログッズの一部を泣く泣く処分したというゴーグルマン氏。押入れからは電マが四本も出てきたので三本はゴミ箱へ捨てた。

「二本は自分で買ったやつなんだけど、どれが自分のものでどれがノンケの使用済みかわからなくなっちゃったのよぉ」

なぜ電マを二本も買うのだろうか。本棚に飾っていた使用済みローター×七は、まとめてビニール袋に入れて捨てることにした。

「ゴミ捨て場に投げたらビニール袋の中でローターが動き出したのよぉ。でもコードがグチャグチャになってて、どのスイッチがどのローターと繋がっているかがわからないのよぉ。ほんっとにもうローターってのは」

お互いがお互いを喰い合っている歌舞伎町でただただ自分の欲望を追求し続けるゴーグルマン氏は食物連鎖の外にいる稀有な存在であるように思う。

「こんな変態がまだいたのかって毎日ワクワクするのよぉ。世の中には想定外の人が大勢いるものなのよぉ」

自身こそがその想定外の最たる存在であることには気がついていないようだが……。

五章　歌舞伎町「ストーカー」浄化作戦

思い出の抜け道に現れた丸刈りの男

知人のバーテンから譲り受けた鍵を使い、私は思い出の抜け道にあるバーの店内に入った。コロナ禍で休業状態になっているバーのマスターに鍵を借りていたため、こっそり店内を拝借したのである。

アポイントを取っていた歌舞伎町でイメクラ店を営む男性が風林会館に到着したというのでバーを出て迎えに行った。花道通りを歩く人間がひとりもいないというのは、これはまた奇妙な光景だ。大型台風が東京を直撃したとき以来の閑散具合である。

店内で話しながらグラスを傾けていると、男性の携帯に一通のＬＩＮＥが入った。私の興味を引くように、わざとその文面を棒読みする。

「退治したはずのストーカーの男が歌舞伎町にいるんですが、女の子は今日出勤していますか？　だって。ちょっとここに呼んでもいい？」

「どういうことですか」

「今から来る人、ストーカーを退治する仕事してんだ」

いまいち、意味が理解できなかったが、「店貸しきってるならいいじゃん、大丈夫だよね」と男性はバーの住所をＬＩＮＥの相手に送った。この街の人間は人が困惑したり、怯えたりする顔を見るのがどうも好きな節がある。

すぐ近くにいたのだろう、三分ほどで思い出の抜け道までやってきたようである。どんな人物か男性に聞く間もないので、「ストーカーを退治している」ことくらいしかわからない。

バーの場所がわかりづらいので男と一緒に急な階段を下りて外に出た。すると、真っ暗な思い出の抜け道から黒いニット帽を被り、草履を履き、巾着袋を手に持ったえらく肩幅の広いがっしりとした丸刈りの男がぬっと出てきた。

「ああ～初めまして初めまして。こんな遅い時間にお邪魔してしまって、これはこれは申し訳ありません。あなたが國友さんというお方ですか。ＬＩＮＥで少し聞きましたが、本を書かれている方なんですね。そんな方に私みたいな人間がお会いできるなんてもう恐縮してしまいます。ご一緒させて頂いて大丈夫なんでしょうか？」

私に数千万の借金でもしているかのような勢いでペコペコと頭を下げる。しかし、その体型もさることながら、顔もとてもじゃないが善良な一般市民には見えないのである。

怖い風貌をした人は粗悪で横柄な態度をとるのがこの街のスタンダードだ。一度、歌舞伎町一番街にいたキャッチに街の景気を聞くだけ聞いて、「でもどこにも行きません」と立ち去ろうとしたら、「舐めやがるな、雑魚野郎」と胸ぐらを摑まれて蹴り飛ばされたことがある。

もちろんそれも怖いに決まっているわけだが、それよりもはるかにその風貌でこのへりくだった態度をとられるほうが心臓に負荷がかかるということを知った。怖いというよりも不気味で仕方がないといった印象である。

「さっき軽くは聞いたのですが、何をされているんでしょうか」

「自家製のチョコレートを販売しております。レンジで十秒ほど温めますと口の中でほろりととろけるガトーショコラです。私のことはチャーリーとでも呼んで頂ければと思うのですがよろしいでしょうか？」

「ストーカーの男が歌舞伎町にいたというのは」

「彼の紹介ということなので、國友さんには可能な限りお話しします。ただその前に、そのボイスレコーダーだけ電源を切って頂くことは可能でしょうか？」

　あくまで本職はチョコレート販売だと言うチャーリーであったが、それは表の顔であり、生業としているのは「ストーカー退治」である。

「歌舞伎町などの繁華街にはストーカーの男がウジャウジャおります。私は、そういった被害で困っている女の子やお店から依頼を受けて、ストーカー行為を止めさせるのですね。警察は何かが起こるまでまったく動いてくれませんから」

　二〇〇九年、秋葉原の耳かき店で働く女性とその祖母がストーカーによって殺害される事件が発生した。二〇二一年に起きた大阪のカラオケパブ殺人事件もストーカー殺人だと見られている。新潟のアイドルグループ「NGT48」のメンバーが暴行された事件や、小金井ストーカー殺人未遂事件など、アイドルの女性がストーカーの被害に遭うケースも後を絶たない。

　チャーリーいわくストーカーに共通する特徴は一方的な思い込みであるという。相手が自分に対しても好意を抱いている、自分だけは相手にとって特別な存在と思い込むが現実を思い知ったときに嫉妬心が爆発し、豹変する。

「歌舞伎町は風俗の子、秋葉原はコンカフェの子がとくに困っております。恋愛経験をしてこなかった非モテの男たちはすぐに勘違いしてしまうんですよね。店にとってもストーカーというのは厄介な存在です。女の子の体力と気力をゆっくりと奪い、女の子を根本から潰してしまいます」

ここにいるイメクラ経営者の男性はチャーリーの顧客ということになる。しかし、退治したはずのストーカーがまた歌舞伎町をうろついていたため、確認のＬＩＮＥを入れたというわけだ。

「どうやってストーカーを退治するんですか」

「ストーカーをする男というのは気弱な人間ばかりなので簡単です。ただ、依頼を受けたらはじめに本当にストーキングをしているのか、だいたい一週間、長くて三週間は調査をします。あとはストーキングの度合いに応じてこちらが動くだけです」

ほとんどのケースはストーカーの肩をたたき、「歌舞伎町の○○（店の名前）の関係者だけど、何で声をかけられたかわかるよね？」の一言でパッタリとストーカー行為は収まるという。しかし、ストーカーにその自覚が微塵もない場合は厄介なことになる。そういった人間は「○○ちゃんを僕が守っているんだ」と取り乱すそうだ。

チャーリーはエスカレートするストーキングに耐え切れずに自殺してしまった被害者の知人から依頼を受けたことがあった。ストーカー男の行動を調べ上げ、場所と時間を選び、もうひとりいるというメンバーとともに拉致をした。後ろから声をかけ、振り向いた相手の目玉にタバコの火を押しつける。うずくまって顔を押さえている相手をチャーリーの愛車であるバンに引きずり込む。

暴れ回っているストーカーも、顔にビニール袋をかぶせて結んでしまえば、あまりの恐怖から爪を切られる猫のようにおとなしくなる。

「ドライブしよっか。海と山、どっちがいい？」

臭いセリフであるが逆にそれくらいのほうが恐怖心は煽られるのだという。チャーリーの近接格闘術でストーカーはすでに縛られ、身動きが取れない状態だ。数時間のドライブの末、山の中でストーカーを外に放り出した。

「綺麗な星空だね。でもおまえのせいで女の子も星になっちゃったね」

ここまで来れば泣きながら白状し、狂ったように命乞いする。

誰もいない歌舞伎町で貸し切りの思い出の抜け道のバーの密室で、チャーリーと一緒にいることに私は恐怖で震えてきてしまった。

「こういった依頼に料金の相場というものはあるんでしょうか」

「私、依頼主からはお金は取りませんよ。ストーカー君が自分から〝金を払う〟と言ってきます。白状した際の録音テープやストーカーの証拠をストーカー君の家族のもとへ持っていくこともあります。ストーカー君がおぼっちゃま君だった場合、家族が結構な金額を渡してくることもありますので」

流れでＬＩＮＥを交換したが、チャーリーとかいう男に今後会うことはないだろう。

「こんな風にするんですよ」

私の目玉の寸前に火のついていないタバコがあった。初動をあえてゆっくりにされたことで、目の前まで近づいてきたタバコに気がつかなかった。バーの外に出るといつのまにか夜が更けて朝になっていた。

チャーリーたちと別れた私はしきりに後ろを気にしつつ、尾行がないことを確認しながら歩いて自宅に戻った。背中が嫌な汗でびっしょりである。

それから二か月後の夜、チャーリーから突然ＬＩＮＥが入った。

「中野に住んでいるストーカー君の自宅が割れたのでいまから行きますが、國友さんよかったら一緒にどうですか？　作業時間は三時間ほどです。もし来るなら身分証明書は家に置いてきてください」

突然の連絡に動揺し、つい「ぜひ同行させてください」と送ってしまった。三十分後、歌舞伎町にバンで迎えに行くというので、とりあえず財布から保険証と運転免許証を抜く。しかし冷静に考えてみれば三時間という作業時間からするに、拉致して監禁までやるような気がしてきた。そんな場に、一緒にいてはたしていいものなのだろうか？

おそらく後部座席にストーカー君が投げ込まれ、私は助手席に座ることになるだろう。誰がどう見ても共犯者である。

もしかするとストーカー君の身体を縛り上げる際に、「國友さん、ちょっとストーカー君の脚を押さえておいてもらえませんか？」と頼まれるかもしれない。私はその状況で断ることができるだろうか。おそらくどこかの社会主義国家の特殊部隊のような手さばきでチャーリーがひとりであっという間に仕上げてしまうのだろうが。

いまからでも遅くはないと判断し、思い切って「すみません、怖いのでやっぱり行きません」とチャーリーに断りのＬＩＮＥを入れた。

　それなりの理由をつけて二回ほどお茶の誘いを断った数日後の深夜、今度は「海釣りに行きましょう」とチャーリーは言い出した。

「これから有明あたりで海釣りをしますが、國友さんよかったら来ませんか？　無理強いはしませんが来てほしい～！」

　行くわけがない。私が何かしただろうか。チャーリーの顔を知ってしまっているだけで、すでにアウトなのか。もはや脚を縛られて、東京湾にドボンとされる自分の姿しか浮かばないのである。

「すみません、今夜は都内におらず行くことができません……」

と歌舞伎町のヤクザマンションから返信した。

　私の友人にあまりの暴力性の強さに周りが怯え、学生時代ひとりも友人がいなかったという男がいる。その男は、「人に避けられたときに一番孤独を感じる」と言っていた。

　自分が怖いのが悪いわけではあるが、「怖がっていないフリ」をしながら距離をとられるとさらに殺してやりたくなるという。明らかに私に避けられていることを察したチャーリーは少し寂しそうであった。そろそろ適当な嘘で誘いを断るのもキツくなってきた。

私の日課は夜に自転車で新宿の街をグルグルと周ることである。百人町、歌舞伎町、新宿駅前、新宿二丁目と周るのがいつものルートだ。新宿二丁目はコロナ禍が始まってから警官のパトロールが一気に増えた気がする。店は休業しているところも多いのになぜだろうか。

「國友さん、今新宿一丁目で修羅場になっていて面白いですよ。すぐに花園西公園に来れますか？」

携帯を見ると五分前にチャーリーからＬＩＮＥが入っていた。花園西公園など自転車で二十秒もあれば着いてしまう。「今都内におらず……」と嘘をつこうと思ったが、自転車に乗っているところを見られたらいよいよ何をされるかわからない。やむを得ず私はその公園に向かうことにした。

「チャーリーさん、お久しぶりです……」

三か月ぶりにあったチャーリーは今日も草履に巾着袋といういで立ちだった。どうやらいつもこの格好をしているようだ。

「國友さあん！　プッシャーらしき男が三人くらいの男に囲まれていたので見ていましたが、どうやら今回は円満に解決したようです」

　プッシャーとは薬物の売人のことである。元締めと揉めたのだろうか、それとも薬物欲しさに非合法の仕事に手を突っ込んだ挙句、四方八方を囲まれてしまったのか。そもそもプッシャー自体が非合法であるわけだから、何かしらのトラブルに巻き込まれたのだろう。

「歌舞伎町以上に新宿二丁目は薬物の街ですからね。隣にある一丁目のマンションにはプッシャーがゴロゴロ住んでいるんですよ。しかも今はコロナで外出自粛中ですから、家でクスリするくらいしかやることがないんでしょうね。みんな大忙しです」

　チャーリーが靖国通りを見ながら、物憂げな顔をしている。

「売っている本人もきっと中毒なんでしょうね」

　大阪の西成でもそうだったが、プッシャーというのは大体その本人も薬物を使用している。最初は自分で楽しむだけであったのがだんだんと金に困り、次第に売るようになってしまう。手元にある在庫から自分が使う分だけをとっておけばよい。

「薬物中毒のストーカーとなると時によってはまったく話が通じないので非常に厄介です

が、金にはなりやすいんです」

その場合はまずストーカー君の自宅へ行き、部屋からネタを押収する。そしてプッシャーを自宅に呼んでもらい、そいつが持っているネタも没収してしまえばいい。ストーカーの自宅にやってきたプッシャーを詰めていったら、市役所員だったこともある。その市役所員は一体チャーリーにいくら払ったのだろうか。

「コロナになってからストーカーに悩む女の子も増えてしまったんですよね。風俗店もお客が来ない状況ですから、女の子たちが太客だけでなく細客にも過度な営業をかけてしまうんです。営業の数が増えれば、勘違いする非モテ男の数も増えてしまいますから」

チャーリーの収入はストーカーの数に比例して増えるわけだが、本人の気持ちとして「ストーカーの被害が減ってほしい」というのが根底にはあるようだ。

チャーリーの拉致監禁力ー

「秋葉原で働く女の子たちが歌舞伎町に流れてしまい困っている」

秋葉原でコンカフェを経営する男から聞いた言葉である。

近年の秋葉原ではオタクだけではなく一般的なサラリーマンがガールズバー的な感覚で訪れるようなコンカフェも増えている。

また、飲み放題三千円と表記しておきながら、別料金のシャンパンを注文しないと女の子が席につかないシステムになっていることもある。そして知らないうちに女の子たちがドリンクを飲みまくり、ほぼキャバクラのような額を請求されるというプチぼったくりのようなケースが急増していた。

二〇二一年五月には、秋葉原のメイドカフェで無許可の接待サービスを提供したとして、メイドカフェ経営者の男（四十七歳）と系列店の店長ら男女計六人が、風営法違反（無許可営業）の容疑で逮捕された。

「サービス内容もキャバクラのようになってしまい、秋葉原で働く女の子たちの人種も変わってきました。コンカフェの仕事を終えた子たちが歌舞伎町のホストクラブに遊びに行くんです。当然、コンカフェだけの給料だけではほかの客と張り合えないので彼女たちも風俗で働くようになります。結局コンカフェを辞めて秋葉原からいなくなってしまうので、ホス

ト遊びは禁止にしている店もあるくらいです」（前出のコンカフェ経営者）

歌舞伎町だけでなく秋葉原でもストーカー退治を請け負うチャーリーに聞いても答えは同じであった。

「周りにつられてホストに通い出し、あっという間に顔つきが変わってしまったメイドカフェの女の子たちは何人も見ております。キメセクが大好きなメイド、プッシャーをしているメイドもいましたが、もちろん今は秋葉原からいなくなっております。國友さん、よかったら車で深夜の秋葉原でも周ってみましょうか？」

思いがけずチャーリーの「拉致監禁カー」に乗る流れになってしまった。その夜、秋葉原で待っていると、地方ナンバーのバンに乗ってチャーリーはやってきた。

「ストーカーの血とかついていないですよね？」

「國友さん！　さっきちゃんと拭いて消毒もしておきましたから安心してください！」

ジョークでも言っているつもりなのだろうか。

「ストーカー退治の依頼をはじめて受けたのは秋葉原だったんですよ。知人の経営している メイドカフェの女の子に惚れた客が粘着質の勘違い野郎でして。今でもやっぱり秋葉原はストーカー君が多いですね～」

チャーリーはその風貌ゆえに歌舞伎町を歩いていてもキャッチに声をかけられることはない。キャッチには「ヤクザには声をかけるな」というしきたりがあるためだ。のちにふたりで赤羽の街を歩いたときなどは、キャッチたちに「お疲れさまです」と挨拶をされていた。どこからどう見ても堅気には見えないのだろう。

「キャッチに声をかけられないというのはその街から受け入れてもらえていないみたいで本当に寂しいんですよ。でも秋葉原は女の子がキャッチをしているので、こんな私にも声をかけてくれるんです。みんないい子～！」

どうやら赤羽の件はわりと真剣にへこんでいたようである。

秋葉原のキャッチに声をかけられたときはここぞとばかりに、「お姉さんとふたりでお話できるなんて、ほほほほほほ、ほんとですか!?」とオタクになりきることがチャーリーのささやかな楽しみだという。

そろそろ日をまたぐというのに通りにはまだコスプレをした女の子たちが店のボードを持って立っている。交差点には黒塗りの高級車が停まっており、半グレ風の男たちが車内か

路上で客引きをするメイドたちを見張る半グレの車

ら女の子たちを見張っていた。交差点に停めておけば四方が見渡せるためだ。

「いろんな人に見張られて秋葉原の女の子たちは可哀想ですね～。國友さん、ほらあれ見てください。気持ち悪いですね～」

チャーリーが指を差した先には、アニメのステッカーを全面に貼ったスポーツカーが停まっていた。その近くにも似たような痛車が二台ほどある。

「ああやって推しの女の子がシフトを終えるのを待っているんですよ。とくに尾行をするわけではないんですけど、〝今日も無事に仕事を終えてちゃんと家に帰った〟という瞬間を見届けたいんでしょうね。彼らはああやって女の子を守っている気になっているんですよ。ストーカー予備軍といったところでしょうね〜」

外堀通りを通って新宿方面に向かう。

「國友さん、自宅はどちらですか？　遅いので前までお送りしますよ」

「私は歌舞伎町を周ってから家に帰りますので、靖国通り沿いで大丈夫です」

「あ、家の場所教えたくないだけでしょ〜！　いつか國友さんの家でアフタヌーンティーを一緒に飲むんだから！」

妙にへりくだった口調もなくなりだいぶ打ち解けてきた。しかし相手は日頃から〝拉致監禁〟を生業としている裏稼業人であることは忘れてはいけない。チャーリーの拉致監禁カーが見えなくなるのを待ってから私は家路についた。

手コクイーンの隠れ家

とくにこれといって特徴のないサウナであったが、いざなくなってしまうとなると寂しい気持ちになる。シネシティ広場にある「メンズサウナこり・こり」が一週間後に閉店を迎えるというのでチャーリーとふたりでやってきた。ついに裸の付き合いをすることになったのだ。

さて、背中には一体どんな刺青が彫られているのかと注目していたが、チャーリーの身体には何ひとつ装飾はされていなかった。

「國友さん。私みたいな人間はとにかく目立たないことが大事になるんです。常にモブキャラで居続けること。ヤクザも半グレもすぐに目立とうとするじゃないですか。悪い人間たちはそういう姿を必ずどこかで監視しているんです」

歌舞伎町では最近、キャバクラを起点としたタタキ（強盗）が増えているという。風林会館のそばに特殊詐欺グループ御用達のキャバクラがあり、彼らはいつも派手に遊んでいる。チャーリーによればコロナ禍で収入の減ったその店のキャバ嬢たちが、特殊詐欺グループのメンバーの顔写真や住所などの個人情報を犯罪組織へ売り飛ばしているというのだ。

「顔と名前さえ掴んでしまえばそこから情報は無限に広がっていきます。身をさらってもいいし、弱みを握って転がしてもいいし、もう何でもできちゃうんですよ。私の知っている後輩たちはそのキャバクラの前でハイエナのように見張っていますよ」

「それは、一体どこのキャバクラでしょうか」

聞いてみるとそのキャバクラはアユが時給泥棒用に在籍している店であった。アユも「オレオレ詐欺の成金たちがよく店に来ますが、そういう人たちは気がついたら歌舞伎町から姿を消しています」と言っていたのを思い出す。

「懐かしいな～。こり・こりの前はフィンランドというサウナで、宇宙船みたいな場所だったんですよ。こり・こりは刺青禁止だけどフィンランドは放置していたので、キワキワの人間がウジャウジャいたんです」

チャーリーが来《き》し方《かた》を懐かしんでいる。この男にも可愛い幼少時代があったのだろうか。

「チャーリーさんの将来の夢って何だったんですか？」

「この前小学校の卒業文集を見返していたら、〝宇宙大統領〟と書いてあり、自分が恥ずかしくなりました」

フィンランドを宇宙船たらしめていたのは自分なんじゃないか。

「フィンランドには闇金で首が回らなくなっているような人間がたくさんいて、使い捨て要因の宝庫だったんですよ。雑魚と雑魚とちょっと雑魚の三人グループで組ませて、軽い末端の仕事をさせるんです。二人が雑魚だと残りの少し雑魚が、〝自分がしっかりしなきゃ〟〝自分でもやればできる〟と本領を発揮するんです」

「今で言うリクルーター（闇バイト要員の元締め）みたいなもんですね」

お世辞にもいいサウナとは言えない「メンズサウナこり・こり」。現在は別のサウナになっている

ふたりでペタペタと浴槽からやけに遠いサウナ室へ向かう。サウナ室のテレビで流れるニュース番組ではお菓子でできているという「食べられるコップ」なる商品の特集がされていた。プレーン、えびせん、チョコ、ナッツの四種類の味があり、コップとして使用したあとにそのまま食べるらしい。

「國友さん、となりの奴が急にコップ食べ出したらどうします？　私だったら宇宙人かと思ってオシッコもらしちゃいます〜」

「誰が買うんだよ」と私も思ったが、意外にも売れ行きは好調なようである。とくにチョコ味のコップにアイスコーヒーを入れる組み合わせが人気なようだ。この世の中、一体何が売れるかわかったものではない。

「ああ〜私の自家製チョコレートももっと売れればいいのにな〜」

「本当にチョコレート作っているんですか？」

「あ、ひどい。関東の田舎に厨房を持って、材料にこだわって作っているんですよ〜。今度國友さんにはプレゼントしちゃうんだから」

サウナに一セット十五分は入っていそうな見た目をしているチャーリーだが、汗をダラダラ流し、たったの四分で限界を迎えたようだ。

「國友さん、あと何分います？」

「僕はあと五分くらい」

「く、屈辱〜！」

私がサウナからあがり水風呂へ向かうと、すでに「ととのいイス」でチャーリーは白目を剥いていた。

「國友さん、最近新宿五丁目に新しい隠れ家ができたんですよ。よかったらこのあと覗きに来ませんか？」

チャーリーが休憩室のリクライニングチェアに寝転がり、ポチポチと依頼主の女の子たちにＬＩＮＥを返しながら言った。これから向かう２ＬＤＫの隠れ家には、歌舞伎町の手コキ店で働く風俗嬢が住んでいるという。

彼女もストーカーの被害に悩むひとりだ。そして余ったもうひとつの部屋をチャーリーが歌舞伎町のセカンドハウスとして利用している。

チャーリーはこのように女の子をストーカーから一時的に避難させるための「シェルター」を都内に三つほど所有している。その維持費だけでも馬鹿にならない。「ストーカー君から大金を絞り取れたらシェルターを四つ五つと増やすだけです」とチャーリーは話す。

シェルターで過ごす女の子たちは、当然であるがチャーリーが心の拠りどころだ。そのためストーカーに関係のない連絡もひっきりなしにくる。「今日は四万円も稼いだよ」と同居人から届いたLINEに、「すごい！　あなたもやればできる子！」と返信していた。

「それにしても手コキ店で一日四万円はすごくないですか」

「一人三千円だとして手取りは千五百円です。となると単純計算で二十六・六本ぶっこ抜いていることになります。オプションとか指名料もありますけど、にしても手コキ店では驚異的な数字ですね」

相当手コキが上手いのだろう。チャーリーは彼女のことを「手コクイーン」と評している。新宿五丁目の隠れ家は私も普段から見覚えのあるなんの変哲もないマンションであった。ストーカーでもあるまいし、チャーリーが私に危害を加えるわけもない。丸腰で部屋に入り、出されたジャスミン茶も飲み干した。

「風俗嬢の部屋って見たことありますか？　もし興味があればドアを開けていいですよ。手コクイーンは今歌舞伎町でコいていますので」

引き戸を引くとふたの開いた飲みかけのペットボトルが散乱し、こぼれた液体が床に脱ぎ捨てられた服に染みついている。醤油のボトルが足元に転がっているが、こちらもふたが開いたままだ。こぼれた醤油が蒸発して床がシミになっている。食べかけの弁当やお菓子、乾麺のパスタがむきだしのままベッドの上に放置されている。

「どうですか。これが風俗嬢のお部屋です。ここに住んでいる女を抱こうという発想にはならないですよね」

風俗嬢の彼女はかりそめであり、この部屋が現実である。

チャーリーとハイジア嬢

いつものように自転車で歌舞伎町をグルグル周っていると、二丁目の路地に見慣れたバンが停まっていた。ナンバーを見ると、やはりチャーリーの拉致監禁カーであった。後ろから近づき運転席の窓ガラスを「コンコン」と叩くと、一瞬殺し屋のような目で睨まれたが、私だと気がつくと「國友さあ〜ん」と車から降りてきた。

ある〝案件〟の張り込みをしていたが、不発に終わりしばし休憩をしていたらしい。ふたりとも腹が減っていたので西武新宿駅前のケバブ屋でケバブラップを頬張りながら職安通りに向かって歩いていると、ハイジア裏の路上に座り込みながら震えている若い女の子がいた。

ハイジアビルの裏にある大久保公園の四方を囲むように、街娼とその客が溜まっている

この日は真冬の二月である。地べたに座っていたらお尻が凍って張りついてしまいそうだ。

「國友さん、暇なのであの子に話でも聞いてみましょうか」

ハイジア裏にいる女の子には私も何度か話しかけたことがある。しかし、いつも「買う気がないならさっさと帰ってよ」とあしらわれ、いつも自分のコミュニケーション能力に失望するばかりである。

だが、チャーリーはするすると女の子の心の中に入り込み、あっという間にハイジア裏の情報を聞き出してしまった。

このハイジア嬢は現在二十歳。川崎や歌舞伎町の風俗店を転々とするも店に中抜きされるのが気に食わず、ハイジア裏で援助交際をするようになった。在籍していた川崎のソープは六十分コースで五千円しかもらえなかった。

今は友達のキャバ嬢とシネシティ広場前にあるアパホテルのシングルルームのベッドにふたりで丸まりながら暮らしているという。

「ちょっと、ズボン穿いてると思ったらスカートなの？　布が足りてない！　もうパンティが見えちゃうじゃない！」

チャーリーが地面に這いつくばりスカートの中を覗こうとすると、「そんなことしても見えないよ（笑）」とすぐに笑顔になった。

チャーリー　ヤベー、超見てえ。あ、どピンク。ごめんごめんうそうそ。白白白。ちょっと茶色がついてる。

ハイジア嬢　やだ〜、ついてないよ（笑）。今日生理だからマジ鬱なの〜。

チャーリー　ねえ、生理中も売りやってるの？

ハイジア嬢　やるよ。客に〝痛い、お前のせいで裂けて血が出た〟って言ってさ、早く終わらしちゃうの。ゴムつけずにやるからさ、客も自分のやつが血だらけになるの見て引いてるよ。

チャーリー　生中!?　やっとんな（笑）。ピルは飲んでるんでしょ？

ハイジア嬢　飲まないよ。だってピルなんて買うお金ないんだもん（笑）。

このハイジア嬢は多いときで日に九万円を援助交際で稼ぐという。毎日立っていればピルぐらい買えそうであるが、ホストの売掛金の返済もあるのでそちらを優先しているのだ。服装も「地雷系ファッション」と呼ばれるいで立ちで、マイメロのパーカーにＭＣＭのリュックを背負っている。リュックについている小さなポケットに担当ホストの名刺を入れておくのがホス狂い流らしい。

チャーリー　いつもどんな客が来るのさ。

ハイジア嬢　陰湿なオヤジとインド人ばっかりだよ。インド人は日本の風俗はなかなか行けないからここにくるんだけどさ、お金もないからさ、五千円で生中って言ってくるからさ、私はいつも断ってるの。

おそらくインド人ではなくネパール人だろう。私が普段見ている限りでも新大久保界隈に住む外国人が主にハイジア裏を利用しているようだった。外国人が三～四人集まり、ハイジア嬢と談笑している様子をよく目にする。ホテル代別一万五千円で近くのラブホテルにハイジア嬢と入っていく外国人も何度か見たことがある。

ハイジア嬢　その辺のトイレで手だけでいいから二千円でとか言ってくるおっさんも多いけど、それは断ってる。ここで拾うときは一万五千円。出会い系とかで拾ってアパホテルに連れて行くこともあるけど、そのときは二万円とってる。

芸能界では一時期「アパ不倫」というものが流行ったが、歌舞伎町では「アパ援交」が日常的に行われている。

チャーリー　もうアパホテルにどのくらい住んでるのさ。

ハイジア嬢　一か月になるかな。はじめは地下に温泉があるからグランカスタマカフェに泊まってたんだけど、やっぱりベッドがないとキツイの。でもテルマー湯は高くて行けないから、アパホテルをふたりで割り勘してるんだよね。その子とはさ、ホスト行き始めてから出会ったの。だからまだ出会って三か月なの。でもめっちゃ仲いいの。その子はキャバ嬢やってるの。てか、もうスマホ代も滞納してるんだけどさ、AV出るのってヤバいかな？

チャーリー　AV出たいの？　一日九万円も稼げるならここにいたほうが絶対稼げるよ〜。

ハイジア嬢　出たいというか最悪出るしかないかなって。もう誰かのヒモになりたいよ……。この向かいのマンションに住んでる韓国人のお兄さんがすっごいイケメンなんだけどさ、たまに買ってくれるのね。もうそのお兄さんのヒモになりたい。私、DVしてくれるイケメンじゃないと好きにならないんだよね。

チャーリー　そんなにお金ないのにさ、ここの場所代払えるの？

ハイジア嬢　ここ場所代なんて必要ないよ。ねえ、私の手めっちゃ冷たくなってるんだけど。ちょっと触ってみてよ。あれ、おじさんの手、私より冷たいんだけど。
チャーリー　デブは手が冷たいから（笑）。ちゃんとリスカの痕があるあたりがいいね～！やってんね！　手首切るときは貝印のカミソリで切るんだよ！
ハイジア嬢　ごめん、私カッター派だから（笑）。
チャーリー　今日はいつまでここにいるのさ。好きピから連絡くるまで？
ハイジア嬢　いや、好きピは売掛払えって言ってくるだけだから会いたくない。なんかさ、こんなことばっかりやってるとさ、普通に歩いている人たちがさ、めっちゃ幸せそうな人に見えるの（笑）。みんな家に帰ったらご飯があるんでしょ。私なんて今日何も食べてないんだよ。
チャーリー　おじさんが今ガリガリ君買ってきてあげるから待ってなさい！

ハイジア嬢は、「寒いって（笑）。ありがとう、今日は楽しかったからもうこれで帰るよ」と言い残し、アパホテルへと戻って行った。チャーリーは病んだ風俗嬢の心理状況というものを完全に心得ているようである。

手コクイーンを迎えに

チャーリーと一緒に歌舞伎町の雑居ビルにある手コキ店の待機所へ手コクイーンを迎えに行った。ビルから出てくると手コクイーンは真っ先に今日の手取り額をチャーリーに報告する。チャーリーに褒められると、「地元の同級生でこれだけ稼いでいるのって私だけじゃないかな」と陶酔感に浸っていた。

隠れ家の近くにある牛丼屋に三人で入る。手コクイーンは牛丼をつまみにビールをラッパ飲みし、自分がいかにほかの風俗嬢よりも稼いでいるかを、チャーリーに話し出した。そして、これ見よがしに精神安定剤をラムネのように飲み出す。手首にはしっかりとリストカットの痕が刻まれている。

「世界はみんなゴミクズだあ……！　私の好きなもの以外はみんなゴミなんだから」

牛丼屋を出て隠れ家へ帰る途中、手コクイーンは道端にうずくまって泣きながら、嘔吐を繰り返し、食べたばかりの牛丼をすべて吐き出してしまった。

「そうそう、もう全部出しちゃいなさい」

チャーリーが背中をさすり、「今日も頑張った」となぐさめる。

チャーリーや私の目からすると、二十歳になったばかりの手コクイーンはやはり子どもで未熟である。それゆえに精神的に不安定で自分を傷つけてしまう。加えてストーカーの被害もあるならば押しつぶされてしまうのは必然だろう。「子どもだな」と放っておけば、判断力を失った末に自ら命を絶ってしまってもおかしくない。

隠れ家に戻ると手コクイーンはそのままベッドに倒れ込み、すぐに寝息を立て始めた。手コクイーンはいつまでこの生活を続けるのだろうか。彼女を起こさないようにチャーリーとベランダで一服する。

「依頼主の女の子から金を取らずにやっていますが、たまに〝気持ちだけでも〟と渡されることはあります。前に女子高生を命懸けで助けたことがありまして、そのときのお礼はサイゼリヤでした。〝こっちは命かけてるんですけど！〟と思いましたが、楽しい食事でした。ストーカー君から金を取れないこともありますが、そういう純粋な女の子を救えたのならそれでいいと思うしかないのです」

「手コクイーンもストーカーがいなければもうちょっとマシな生活になるんでしょうか」

「この生活に関しては本人の問題も大いにありますけど、ストーカー被害に関してはストーカー君が百％悪いですから。ストーカー君もいい年したおっさんが多いですよ。やっちゃいけないことをやっちゃいけない年齢でやる人間っていうのは、いつになっても同じことを繰り返します。だったら、殺してしまってもいいんじゃないかと思っています。

ストーカー君を詰める現場に被害者の女の子が同席することもあります。みんな、〝もっとやって。止めないで。足りない。私はもっと辛かった〟と言いますよ。いらないゴミが知らないうちに世の中から消えていることくらいなんともないと思うんですよ」

その度合いにもよるが、悪いことをしている人間には何をしてもいいという意見には私は賛同できない。

世の中には悪い人間を探し出しネット上にさらして制裁を加えている者がいる。そこに群がった信者たちが一緒になってボロ雑巾のように悪い人間を叩きまくっている光景は不快である。自分では何もすることができないただの信者が憂さ晴らしをしているようにしか見えないのだ。

チャーリーの極論に頷くことはできないが、私は少なくともこういった信者よりはチャーリーのことを心の通った人間だと思っている。

六章　伝説のカメラマンが見続けた歌舞伎町

新宿駅東南口は淫売窟だった

深夜一時、歌舞伎町伝説のカメラマン篝一光《かがりいっこう》はおびただしい数の写真やフィルムで埋めつくされた自室で目を覚まし、自転車で三分の場所にある歌舞伎町へと向かった。道端に自転車を停め、帽子をキュッと深く被り、赤外線カメラを鞄から取りだした。

路上で男同士の乱闘が始まり、暇潰しの野次馬が集まってくる。ラブホテルの前で全裸になった女が脱いだ服を振り回しながら泣き叫んでいる。救急車や消防車のサイレンが鳴ればすぐさま現場に駆けつけ、炎に包まれる雑居ビルや屋上から飛び降りようとしている少女にレンズを向ける。

歌舞伎町が「この街らしさ」を発揮するのは終電が過ぎた後である。薬物中毒者の奇行、心を壊した娼婦の誘い、パンチラ……、篝氏は歌舞伎町の「危うさ・怪しさ」を求め、翌朝まで街をさまよい、写真を撮り続ける。いまの時代、不謹慎だといわれそうであるが、篝氏はそうやって歌舞伎町の歴史を写真で残してきた。

そんな生活を始めて約五十年。七十五歳を超えた今でも毎日である。

篝氏が写真を撮るのは歌舞伎町だけではない。渋谷、六本木、池袋、上野、浅草など主に東京の各地を日々動き回りながら風景を記録しているわけだが、それでも篝氏は私の知りたい「昔の歌舞伎町」のすべてを知っていた。

四十五年前の篝氏本人。百人町にあった連れ込み宿群前にて（本章の写真はすべて篝氏の撮影による）

角筈《つのはず》という地名だった今の歌舞伎町一帯は、戦前まで住宅街であった。

それが一九四五年の東京大空襲で焼け野原となり、その後、都市計画家の石川栄耀《ひであき》と角筈一丁目北町の町会長である鈴木喜兵衛らによって復興が進められた。

戦後まもなくの歌舞伎町はいまのような歓楽街ではなく、商店街の様相を呈していた。その面影はいまでも残っており、セントラルロードとさくら通りの間の歌舞伎町弁財天前にある「つるかめ食堂」や、さくら通り沿いにある「茂木電気店」などはそのころオープンした店だ。

復興計画の目玉は歌舞伎劇場の建設であり、それが歌舞伎町という名前の由来でもある。しかし、財政を圧迫する金融政策と建築制限令によって計画は思うように進まず、結局、歌舞伎劇場の建設は見送られることになった。それから約十年後の一九五六年、ようやくコマ劇場が完成したのである。

戦後の新宿における性の街といえば、歌舞伎町ではなく新宿二丁目にあった赤線地帯であった。赤線とは一九四六年から売春防止法が施行される一九五八年まで存在した、なかば公認の買売春地区である。特殊飲食店で働く女性と客が自由恋愛をし、性行為にいたるという体をとっていた。対の言葉として使われる青線は特殊飲食店の営業許可をもらわずに赤線と同様の商売をする非合法の買売春地区ということになる。

新宿二丁目が盛り上がりを見せる一方で影の部分となったのは、当時は闇市にもなっていた現在の新宿駅東南口付近、とりわけ新宿四丁目のエリアであった。

ちょうどこの時代に新宿で生まれた篝氏。当然、ものごころもついてない赤ん坊が売春地区のことなど知るよしもないが、このエリアの話を書物で読んで以来、篝氏は新宿ないし歌舞伎町の魅力に取り憑かれてしまったのだった。

その点、私も非常に似たところがあり、シンパシーを感じたのである。

私が生まれたころの歌舞伎町は中国人の密航者がウジャウジャいて、大通りにはヤクザが闊歩し、裏歌舞伎町といわれる職安通りから大久保通りへ向かう暗い路地は拉致スポットとして知られていたなど、とてもハードボイルドな街だった。おそらく当時であれば、ヤクザマンションに気軽に住むことなどとてもじゃないができなかっただろう。

そういった昔の歌舞伎町は、やはり李小牧『歌舞伎町案内人』(角川書店)や吾妻博勝『新宿歌舞伎町マフィアの棲む街』(文藝春秋)といった書物を読み漁るか、篝氏のような人に会って話を聞くことでしか知ることができないのだ。

私は近所に住んでいる篝氏をたびたび電話で呼び出しては、大久保の喫茶店「ルノアール」でひたすら話を聞き続けた。

「戦後、新宿四丁目は木賃宿が建ち並ぶドヤ街になっていて、旭町と呼ばれていたんだ。労

新宿駅東南口付近にあった旭町一帯（現在は新宿四丁目）は淫売窟となっていた。写真は昭和五十年代終わり頃の旭館。現在はもうない

働者が集まれば、それを目当てにした街娼が自然と集まる。旭館、すえひろ……、一帯の簡易宿泊所が娼婦たちの仕事場になっていたんだ」（篝氏、以下同）

　木賃宿とはいわば最下層の宿だ。家を借りることができない貧困層の人々がその木賃宿に長期滞在をしていた。旭町には娼婦のほかにも女装をした男娼や身体障害者など多種多様な人間がとどまり、薬物も蔓延していた。

　なお、新宿をふくめ戦後の東京には米兵たちのありあまる性欲を解消するために日本政府が作らせた売春施設ＲＡＡ（特殊慰安施設協会）が点在していたが、それだけではもの足り

昭和の終わり頃の新宿駅東南口。和田組マーケット（闇市）の残党たちが商売をしていた

ず、旭町などの青線地帯も進駐軍を受け入れている。

「旭町にあったラーメン屋の奥にある扉を開けると、そこでヒロポンが買えたんだ。売り場の横では実際に売人が客の静脈にヒロポンを打っていた。覚醒剤取締法が施行されたのは一九五一年だからそのころの話だろう。

　当時の東京には旭町みたいな淫売窟が山ほどあった。銀座、新橋、上野、浅草、御徒町、駒形、東京中がエロばっかりだったんだ。中でも旭町と業平橋（現在の東京スカイツリー周辺）周辺が東京二大売春地帯といわれていて、今でもその名残があるんだよ」

新宿駅東南口を出て甲州街道の南側、都立新宿高校と天龍寺の間に伸びる細い路地を歩いてみてほしい。新宿に明るい人でもまず通ったことがないであろうこの道には、旭町の名残を匂わせる古い旅館がまだ残っている。

中国人マフィアの揺頭パーティー

なんとも皮肉な話であるが、歌舞伎町が現在のような「性の街」に変貌を遂げたのは、一九五七年に施行された売春防止法がきっかけである。その少し前、新宿駅前に広がっていた闇市が行政からの立ち退き指示により新宿センター街（思い出の抜け道）と区役所通り沿いに移転した。新宿二丁目にあった赤線・青線地帯も同じく移転となり、歌舞伎町に青線地帯が形成された。これが現在のゴールデン街である。

しかし、売春防止法によって赤線はもちろん青線も消滅。途端にこれまで赤線で働いていた女性たちや青線の娼婦たちが歌舞伎町に集まり、街が立ちんぼだらけになった。売春組織

八十年代後半か九十年代前半のゴールデン街。青線はとっくに終わっていたが、名残で体を売っていた店もあった

は地下に潜り、暴力団のシノギになっていったのはこのときからだ。

そして、西大久保と呼ばれた現在の歌舞伎町二丁目にラブホテルが多く建設され、次第に風俗店も増殖し、東洋一の歓楽街へと次第に姿を変えていったのである。

いまでこそピンサロ（大部屋にいくつも備え付けられたソファのひとつに座り、ほかの男性客となかよく女性店員にフェラチオや手コキのサービスをしてもらうところ）は高円寺あたりの売れない劇団員や蒲田あたりの肉体労働者の姿しか見ないマイナーな風俗になってしまったが、七〇年代後半はピンサロブームに沸き、歌舞伎町の店舗には朝からサラリーマンが大行列をなしていたという。

「いまでも大塚なんかに行くとピンサロがいくつもあるが、その比じゃなかったよな。高度経済成長の余韻で成績ばかり求められるサラリーマンたちの楽しみはエロくらいしかなかったんだよ。日の丸、ニューＰＭ、ナポレオン、いろんな人気店があったが、そのブームに乗ったぼったくり店もあった。泣きながら交番に入っていくサラリーマンを何人も撮ったよ」

運が悪ければ股間が辛子明太子のようにぷっくりと赤く腫れあがってしまうだけでなく、根こそぎ金まで取られてしまうなんてキツすぎる。ただ当時はそういった失敗談は笑い話として消化され、それもふくめて歌舞伎町の魅力でもあった。

そして、ストリップ劇場、のぞき部屋、ファッションヘルスなど非挿入系の風俗店が歌舞伎町を席巻していくことになる。

歌舞伎町を根城としていた外国人マフィアといえば、もともとは台湾マフィアたちである。彼らをマフィアと一括りにしてしまうと中国製トカレフで頭を撃ち抜かれてしまいそうだが、現在も歌舞伎町のへそとしてキャバクラやホストクラブを併設している「風林会館」や、シネシティ広場（昔のコマ劇前）横の「ヒューマックスパビリオン」も台湾華僑の所有である。

そういった日本にいる台湾華僑たちがパイプとなり、台湾マフィアたちは歌舞伎町に勢力をのばしていた（風林会館・ヒューマックスパビリオンの所有者がパイプ役となっていたかは明言しない）。

だが国際指名手配となっていた台湾マフィアの王邦駒《ワンバンジュ》が、職務質問にあたった警察官を撃ち殺し、摘発が本格化。それを機に台湾マフィアは勢力を弱めていった。代わって登場したのが、偽造テレカと違法薬物をシノギとしたイラン人マフィアである。

「イラン人マフィアたちははじめ代々木公園や上野公園で偽造テレカや違法薬物を売っていたんだが、そのうち歌舞伎町にもやってきた。上野公園には日本のホームレスと一緒になって路上生活をしているイラン人もいたな。薬物の取引は主に大久保公園や西大久保公園だった。もちろんそいつらの写真も撮っている。隠し撮りだからファインダーはのぞかない。『腹撮り』するんだ」

「腹撮り」とは篝氏が長年にわたり歌舞伎町を撮影するうえで身につけた技である。撮影が

九十年代前半、花道通りに集まり打ち合わせをしているイラン人マフィアたち

バレて危険な目に遭ったことなど一度や二度ではない。「腹撮り」ではファインダーを一切のぞかず、カメラを腹に抱えるように構え、ノールックで撮影する。

　その技を使って六本木の黒人が酔客にコカインの入った袋を手渡す瞬間もバッチリ撮影している。

「おまえ、仕事なにやってんだ?」

　西大久保公園で覚醒剤を売っていたイラン人に声をかけると、言葉をにごしながら「イランでは農村で働いていた」と話したという。

　だが手癖のすこぶる悪かったイラン人マフィアたちは日本のヤクザたちから「イラ

ン人狩り」に遭い、歌舞伎町からすぐにいなくなった。そして、一章でも触れた中国人マフィアたちの時代へと突入していく。

中国人の密入国者たちは蛇頭のネットワークを使い日本になだれこんできた。当時怒羅権のメンバーは中国語が話せるということで重宝され、日本に密入国した中国人たちの世話係のような仕事を請け負っていた。

「そのころ俺は東京の大崎で働いていた。港に近いところには倉庫がたくさんあるだろう。そこで仕分けの仕事をしていたんだが、同僚に中国からの密航者がたくさんいたよ。仕事が終わって歌舞伎町に写真を撮りにいくと、こっちにも密航者がわんさかいる。とくに歌舞伎町二丁目は密航者と思しき中国人たちであふれ返っていて、そいつら専用のディスコがいくつもあった。ディスコではみんな揺頭丸《ヤオトウワン》という薬物（ＭＤＭＡ）をやりながら頭を振るんだ。揺頭パーティーと呼ばれていてかなり流行ったんだ」（篝氏）

二〇〇二年には風林会館の一階にある喫茶店「パリジェンヌ」で中国人マフィアがヤクザ二人を銃撃するおそろしい事件が起きている（一人は死亡、もう一人は重傷）。そんな出来事があったにもかかわらず、当時パリジェンヌの前に立っていたキャッチの男性によれば、

「次の日から普通に営業していた」という。

　このパリジェンヌは二章でも書いたように、令和となったいまでも変わらず営業している。ただ前出のキャッチの男性によれば、この銃撃事件がきっかけで店は縮小することになり、それによって生まれたスペースに風俗嬢御用達の薬局テンドラッグができたそうだ。

歌舞伎町明星56ビル火災

二〇〇一年九月一日午前一時すぎ、いつものように赤外線カメラを持ちながら歌舞伎町をうろついていた篝氏は、消防車のサイレンの音を聞き、すぐさま歌舞伎町一番街に走った。

「またいつものボヤか」

　篝氏はそう思ったという。しかしレスキュー隊によって火災現場の明星56ビルから被害者が次々と運び出され、四十四人が死亡するという大惨事となった。実際、ビルの外にいた人たちも大きな火災とは思わなかったという。

　四十四人全員が一酸化中毒による死亡であり、焼け死んだわけではなかったのだ。

四十四人が死亡した歌舞伎町明星 56 ビル火災。編集部に電話をかける新聞記者の横顔も写る

「歌舞伎町のビルが火事になるなんてのは日常茶飯事だったから、まさか四十四人も死ぬとは思わないわけよ。ビルの窓から黒い煙がモクモクあがっていたが炎はそんなに大きくなかったから。ただ生存者が少ないとわかるとマスコミが一斉に集まって、朝になると上空にヘリコプターが飛んでいた」

若かりし頃のチャーリー（五章に登場）も、このとき歌舞伎町にいた。コマ劇前のサウナ「フィンランド」でサウナ三セットを済ませ、脱衣所にあがると歌舞伎町で働く知人から数件の着信が入っていた。かけ直すと「歌舞伎町でヤバい火事が起きている」という。

チャーリーは急いで歌舞伎町一番街に走り、野次馬の一員となった。当時のニュース映像の多くをテレビ局がYouTubeに配信をしているので、その中にストーカー退治のチャーリーが映り込んでいるかもしれない。

歌舞伎町伝説のカメラマン

篝氏は私と会うとき、いつも何百枚もの写真を現像してやってくる。そして一枚一枚丁寧に、当時の情景が思い浮かぶように細部を語ってくれる。これまで数千枚の写真を見た中でもっともグッとくるのはコマ劇前広場を映したものだった。

私がはじめて歌舞伎町を訪れたのは二〇一一年。コマ劇場があった風景も広場に噴水があった風景も一度も見たことがない。現在のシネシティ広場と姿かたちはところどころ似ているものの、噴水のへりに腰をかける人々の姿はとてもうらやましく思えた。

正直いうと、昔の歌舞伎町のほうが楽しそうなのである。

二〇〇五年（推定）のコマ劇前広場。ホームレスだけではなく酔客も一緒に路上で寝ていた

「人でにぎわうコマ劇前も、更地になったコマ劇前も、みんな撮っているよ。コマ劇があったころは田舎からきた中高年たちが観光バスに乗って歌舞伎町に来たんだ。バスガイドが振る旗にシニアたちがついて歌舞伎町を歩いているんだ。北島三郎、氷川きよし、人気の演歌歌手たちがコマ劇でコンサートを開くたびに楽屋口に出待ちが立っているんだ」

シニアたちが出待ちをしていた場所はいまでいう「トー横」である。二〇二二年現在、歌舞伎町で中高年の姿を見ることなどゼロに等しい。リストカットの跡がいくつも交差している風俗嬢の十倍は心がすり切れていそうな老婆のポン引きがひとりいるくらいだ。

「建物が変わると訪れる人が変わり、そして街が変わるんだ。だから俺は建物を記録に残すことを大切にしている。アマンド（喫茶店）もグリーンプラザ（サウナ施設）もなくなってしまったけど、それは街の宿命なんだよ。時代の変化は誰にも止められないんだ。二〇〇八年にコマ劇が閉館したとき、こうして歌舞伎町は変わっていくんだと思ったよ」

コマ劇の周りには柵が立てられ三年後に解体が完了した。その柵の前で毎晩長渕剛のものまねをする男が歌っていたというが、解体とともにいなくなってしまったそうだ。

二〇一八年になるとこの界隈に「トー横キッズ」が登場した。自撮りをする若者たちが自然発生的にたむろしだしたとされているが、歌舞伎町を毎日観察している篝氏から見れば明確な経緯があったという。

「トー横キッズの起源は秋葉原にある。秋葉原ではつい最近まで児童買春がさかんに行われていたんだが、その客には海外から旅行で来た白人の男が多く交じっていた。だが、だんだんと警察の摘発も厳しくなり、平気で売春をしてしまうような十五〜十六歳の少女が歌舞伎町に移ってきたんだ。トー横で少女に声をかけてはラブホテルに入っていく白人の男を何人

昭和の女子高生はセーラー服で歌舞伎町に来ていた。いまなら職務質問されてしまうが当時はゆるい。なかには売春している子もいた

も撮ったよ。ロリコンさんってのは世界にこんなにいっぱいいるものかと思ったよ」

翌年九月～十一月まで日本で開催されていたラグビーW杯時は、歌舞伎町が外国人観光客であふれ返った。どうかしたら日本人よりも多いのではないかと疑うほどだった。

ラブホテル街の駐車場で屈強な体をした白人男性たちがスクラムを組み、そばにいる白人女性たちが鼓舞している光景を私は目にしたことがある。思わず「ここは歌舞伎町だぞ」と声をかけそうになった。

ゴールデン街も連日お祭り騒ぎとなった。そもそもあんなにデカい体をしていてはゴールデン街の狭いカウンター席に落ち着いて座れるはずもなく、やはり彼らは路上でスクラムを組んでいた。ハロウィ

ンの日にはポリスの仮装をした白人男性が酒に酔って暴れ、通報を受けて駆けつけたホンモノのポリスを殴り、交番へ連れて行かれるという珍事件も起きている。

「トー横キッズという存在が出てくるなんて俺は想像もつかなかった。みんなＭＣＭのリュックを背負った地雷系ファッションをしているだろう。俺は五十年歌舞伎町にいるが、あんな格好をした若者は見たことがない」

そういうと篝氏はトー横キッズたちを撮った写真の束を取り出し、彼女たちのパンチラの写真なども挟みながら語り出すのであった。七十代の人間がここまでトー横キッズに興味を示すことがまず意外であったし、それが五十年歌舞伎町を見続けている篝氏だということに面喰らってしまった。

私は昔の歌舞伎町ばかりに気が向き、トー横キッズにはどうしても興味が持てなかったのだ。

「國友さん、俺は変化が好きなんだ。三百六十五日、同じ日が続いてごらん。それじゃ刑務所と一緒じゃないか。

たしかに俺は五十年間歌舞伎町を撮り続けているが、〝昔はこうだった〟なんて言うつも

一九六九年に設置された歌舞伎町一番街のアーチが、二〇一三年に交換された

りはない。殴られ屋のハレルヤ、似顔絵かきのクマさん、マレンコフ、かき屋、歌舞伎町には昔からいろんな名物がいたが、途中でいなくなっても俺はなにも気にしなかったよ。

もちろん写真は撮っているけども、いつだって今が大事だから今を撮るんだ。それを五十年間続けてきたからこそ、過去の映像が遺産になっているんじゃないか」

私は過去の幻影ばかりを追っていたのかもしれない。

「シネシティ広場の前に東急歌舞伎町タワーができる。きっと街は華やかになり、歌舞伎町に縁がなかった人間も街を訪れるようになるはずだ。でも、俺が求めているような人間も新たに集まってくるに違いない。街がにぎやかになればそこには必ず暴力とエロが生まれるんだ。いくら綺麗な建物ができたって一寸先は闇なんだ」

残り限られた人生で篝氏はなにを撮りたいのか。

「加工されて美しくなっていく東京の中にも薄汚い光景は残っている。路上でクソしている人間、路上で性交している人間、俺はそういう場面を撮りたいね」

篝氏の目はきわめて真剣だった。

あとがき

私にとっての歌舞伎町は、歌舞伎町一番街でもなければ、トー横でもなく、一章でいまだに不法残留の中国人たちが棲みついていると綴った「思い出の抜け道」である。

それも、現在の思い出の抜け道ではなく中国からの密航者たちの拠点となっていた九〇年代の思い出の抜け道だ。

彼らの多くは歌舞伎町で金を稼ぎながら、「裏歌舞伎町」と呼ばれた百人町・大久保エリアに身を潜めていた。私は本書の取材中にヤクザマンションを出て、裏歌舞伎町に住み始めた。

当時の歌舞伎町を知れば知るほど、「自分は生まれるのが遅すぎた」という気持ちになってくる。たったの三十万円で人を殺す中国人マフィアに怯えながら街を歩きたかったし、揺頭《ヤオトウ》パーティーに参加して密航者たちと一緒に頭を揺らし、酩酊状態で朝を迎えてみたかった。

彼らは歌舞伎町で何を思いながら日々を過ごしていたのか。思い出の抜け道を取材することでその心情に少しだけ触れることができるのだが、そのたびに私はたった三十年前の時代を遠い遠い過去のことのように感じるのであった。

小滝橋通りと大久保通りの角にある「喫茶室ルノアール」。いつものように歌舞伎町伝説のカメラマン・篝一光氏に現像してもらった九〇年代の歌舞伎町の写真を見せてもらっていると、篝氏は私にこう聞いてきた。

「國友さんは、なんでそんなに昔の歌舞伎町ばかりが気になるんだい？」

そんなに気になるのであればと、篝氏は自宅にある歌舞伎町に関する書物の数々をすべて私にくれるといった。「俺が死んだらゴミにしかならないから」という。そして、篝氏は続けて言った。

「俺より四十歳以上も若い國友さんは、それだけ先の歌舞伎町を見ることができるんだ。俺はそれが純粋にうらやましいと思う。だから、俺が死んだ後の歌舞伎町をあなたに見続けてほしい。昔のことを知るのは大切なことだが、それは現在と比較しないと意味がないんだ。昔のことを知るのはそのためなんだ」

篝氏から言われたこの言葉で私の次の取材テーマはおのずと決まった。現在の歌舞伎町における中国人社会について調べるのだ。

私はさっそく、歌舞伎町案内人として知られる李小牧《リシャム》氏のもとを訪れた。李氏は、「現在の歌舞伎町はもはや中華街である」と言った。

コロナ禍によって空いたテナントの多くを中国人たちが押さえ、一見すると日本人が経営しているように思える飲食店も、ほとんど中国人の経営によるものだ。それもコロナ禍で拍車がかかっただけで、以前から始まっていることだという。歌舞伎町の真ん中にある大規模なクラブも焼鳥屋も焼肉屋も、みんな中国人のものだ。そして彼らはその事実を、外国人もふくめた観光客に悟られまいと日本風にカモフラージュしているのだ。

思い出の抜け道に残る〝ある場所〟についても、もっと深く知る必要があるだろう。篝氏の言葉を胸に、私はこれから何十年先までこの街を観察するつもりだ。

まずは、もうまもなく開業する「東急歌舞伎町タワー」によって街がどのように変わるのか、楽しみでならない。

二〇二三年二月　國友公司

著者略歴
國友公司（くにとも・こうじ）
1992年生まれ。栃木県那須の温泉地で育つ。筑波大学芸術専門学群在学中よりライター活動を始める。キナ臭いアルバイトと東南アジアでの沈没に時間を費やし7年間かけて大学を卒業。いかがわしい人々をメインに取材をするも、次第に引き込まれ、知らないうちに自分があちら側の人間になってしまうこと多々。著書に『ルポ西成　―七十八日間ドヤ街生活―』（彩図社）、『ルポ路上生活』（KADOKAWA）がある。

主要参考文献
『蛇頭』莫邦富／草思社
『新宿「性なる街」の歴史地理』三橋順子／朝日新聞出版
『台湾人の歌舞伎町』稲葉佳子、青池憲司／紀伊國屋書店

神里純平＝取材協力

ルポ 歌舞伎町

2023年3月22日第一刷
2023年5月23日第四刷

著　者　　國友公司

発行人　　山田有司

発行所　　株式会社　彩図社
東京都豊島区南大塚3-24-4
MTビル　〒170-0005
TEL：03-5985-8213　FAX：03-5985-8224

印刷所　　シナノ印刷株式会社

URL：https://www.saiz.co.jp
https://twitter.com/saiz_sha

ISBN978-4-8013-0647-9 C0036

彩図社好評既刊

ルポ西成
七十八日間ドヤ街生活

國友公司 著

国立の筑波大学を卒業したものの、就職することができなかった著者は、大阪西成区のあいりん地区に足を踏み入れた。

ヤクザ、指名手配犯、博打場、生活保護、マイナスイメージで語られることが多い、あいりん地区。ここで２か月半の期間、生活をしてみると、どんな景色が見えてくるのか？

西成の住人と共に働き、笑い、涙した、78 日間の体験ルポ。


ISBN978-4-8013-0483-3　文庫判　本体 682 円＋税